뇌 운동(Brain Health) 인지 학습지

인지훈련 프로그램

Level A3

willis Brain Health
WILLIS COGNITIVE SCIENCE CENTER
윌리스 인지과학연구소

뇌 운동(Brain Health) 인지 학습지

인지학습지는 신경심리학적으로 접근을 통하여 개발하였으며 실용성을 높이기 위해 학습지 형태로 제작되었습니다. 심리검사에 사용되는 기법을 모태로 하여 과학적이고 체계적인 인지훈련 도구로 발전시켰습니다. 또한 Level A1에서 C까지 총 5계로 구성되어 인지기능 수준별 학습이 가능합니다. 인지기능별 수준을 고려하여 너무 쉽거나 어렵지 않고, 흥미를 느낄 수 있도록 제작하였습니다. 흥미를 잃지 않기 위해서 소재를 일상생활에서 중요한 것이나, 삶의 현장에서 쉽게 접할 수 있는 것으로 선택하여 실제적으로 도움이 될 수 있도록 하였습니다. 인지학습지는 노인 연령뿐 아니라 인지훈련이 필요한 전 연령층에 적용 가능한 프로그램입니다.

인지학습지 훈련프로그램은 하루 8문제로 구성되어 있으며 7가지 인지영역(지남력과 주의력, 지각력, 기억력, 개념형성과 추리력, 관리기능과 운동, 구성능력, 언어와 언어 연관기능)이 고두 포함되도록 하였습니다. 하루에 한 장씩 프로그램을 꾸준히 하고, 일주일에 5일 이상 하면 더욱 효과적입니다.

프로그램의 진행은 제시된 문제를 읽고 답을 찾는 방식입니다. 필기감을 느낄 수 있도록 연필을 사용하는 것이 좋습니다. 프로그램 바로 밑에는 작은 글씨로 답이 적혀져 있어 답을 확인할 수 있습니다. 정신이 맑고 안정된 상태에서 집중해서 하시기를 권합니다.

더 많은 프로그램을 원하시는 경우 www.brainhealth.co.kr을 이용해 주시기 바랍니다.

인지영역 분류 및 설명

지남력과 주의력은 자신과 외부와의 연관성을 파악하고 관심을 유지 및 집중하는 능력이며 **지각력**은 감각 자극을 인식하는 능력을 말합니다. 또한 감각기관을 통해 유입된 새로운 정보를 학습하고 쓸 수 있는 능력이 바로 **기억력**입니다. **개념형성과 추리력**은 외부 문제 상황을 해결 할 때 사고의 과정을 진행하고 원인을 추론 하는 능력이며 판단 및 계획을 관장하는 최고 상위의 인지기능은 **관리기능**을 말합니다. 마지막으로 방향과 공간 개념을 인식하는 **시공간 지각력 및 구성능력**이 있으며 말을 하고 적절한 문장을 구사하게 하는 **언어 기능**이 있습니다.

저 자

김 태 유
- 부산 윌리스 신경과(병원장)
- 대한신경과학회 정책위원회 위원
- 대한신경과개원의협의회 간행이사

한 설 희
- 건국대학교병원 병원장
- 광진구 치매지원센터장
- 대한치매학회 명예회장

한 일 우
- 서울시 강남 구립 행복요양병원
- 대한치매학회 이사장

김 희 진
- 한양대학교병원 신경과학교실(조교수)
- 대한치매학회 교육간사

김 홍 근
- 대구대학교 재활과학대학 재활심리학과(교수)
- 한국재활심리학회 회장

김 갑 묵
- 윌리스 인지과학연구소장
- 한국재활심리학회 사무국장

인지훈련 프로그램

_______년 _____월 _____일

오른손의 번호를 모두 말해보세요.

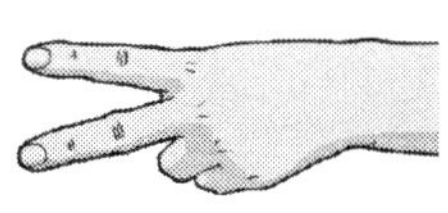		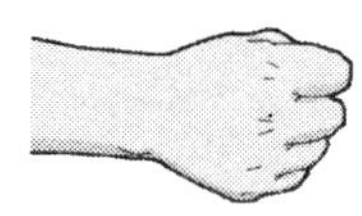
6	1	4

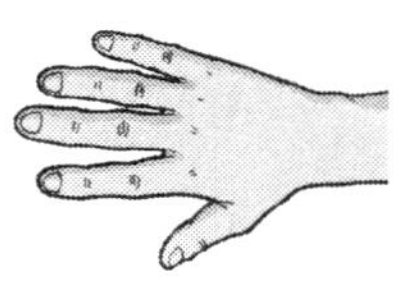	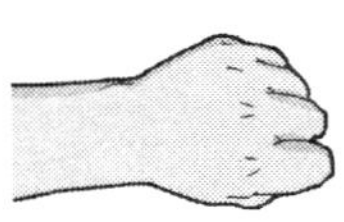	
7	2	3

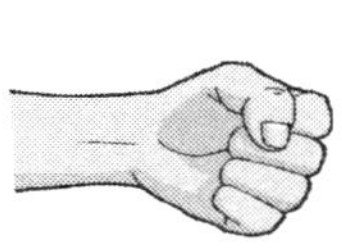	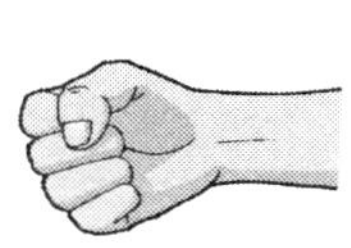	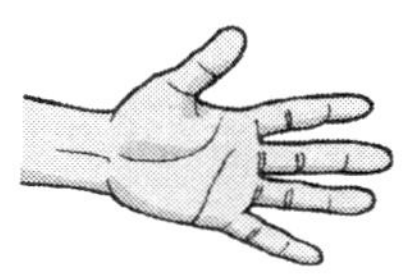
9	5	8

정답) 1, 4, 5, 7

사격장에 있는 과녁입니다. 총 다섯 발의 총알을 쏘았는데 몇 점일까요?

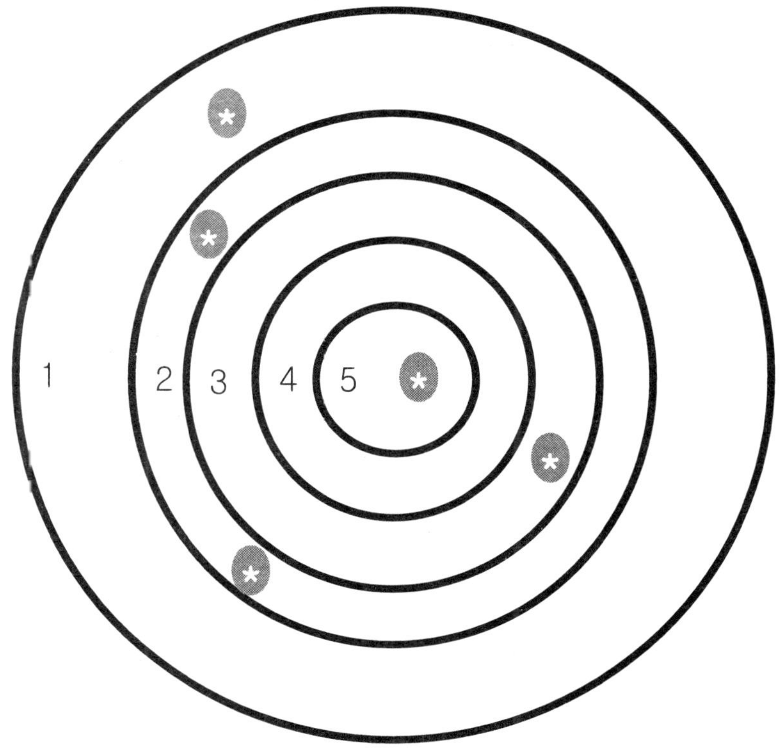

정답) 13점

가정의 복이 가득한 새해를 맞이하여 신년카드를 보내려고 합니다. 두 카드를 비교해 보고 아래의 카드에 비어있는 부분을 채워주세요.

謹賀新年

성탄과 새해를 맞이하여
풍성한 기쁨 속에 뜻하신 바
모든 일들이 꼭 성취되시길 기원합니다.
더욱 건강하시고, 가정에 하나님의
축복이 늘 함께 하시기를 기원합니다.

늘 행복 하세요.

2008년 12월 23일
한사랑 올림

謹賀　年

성탄과　　를 맞이하여
풍성한 기쁨 속에 뜻하신 바
모든 일들이 꼭 성취되시길　　합니다.
더욱 건강하시고, 가정에 하나님의
　　이 늘　　하시기를 기원합니다.

늘　　하세요.

20　년　월　일
한사랑 올림

정답) 新, 새해, 기원, 축복, 함께, 행복, 08, 12, 23

농장의 농부가 먹이를 줍니다. 동물들은 좋아하는 먹이가 달라서 메뉴는 모두 다릅니다. 바나나는 원숭이에게, 옥수수는 비둘기에게, 당근은 말에게 줄 예정입니다. 줄을 그으면서 위의 글을 외우시되 사다리타기를 하면서 외워보세요.

1. 농부가 가지고 간 먹이는 어떤 것들인가요?

2. 농장에는 어떤 동물들이 있나요?

정답) 1. 바나나, 옥수수, 당근　　답 2. 원숭이, 비둘기, 말

다음은 다양한 교통수단입니다. 다음 문제를 읽고 답하시오.

1. 위의 그림에서 바퀴가 2개인 교통수단은 무엇인가요?

2. 위의 그림에서 바퀴가 4개인 교통수단은 무엇인가요?

3. 위의 그림에서 하늘을 날아서 이동하는 교통수단은 무엇인가요?

4. 바퀴가 없는 교통수단은 무엇인가요?

정답) 1. 자전거, 리어카, 오토바이 / 2. 경찰차, 구급차
3. 비행기, 열기구 / 4. 열기구, 배

그림 위에 구멍이 뚫려 있습니다. 그림은 무엇이었을까요?

정답) 닭

속담 빈칸에 공통적으로 들어가야 할 말은 무엇일까요?

1. (   ) 날 밥에 속곳 벗어 들고 신방에 들어가겠다.
   (   ) 딸은 세간 밑천.
   (   ) 모 방정에 새 까먹는다.
   (   ) 째 사위가 오면 장모가 신을 거꾸로 신고 나간다.
   (   ) 술에 배부르랴.

2. 종로에서 뺨 맞고 한강 가서 (   ) 흘긴다.
   (   ) 가리고 아웅 한다.
   (   ) 감으면 코 베어 갈 세상이다.
   (   ) 뜨고도 못 보는 당달봉사.
   (   ) 뜨고 도둑 맞는다.

3. (   ) 집에 살면서 시어머니 성 모른다.
   (   ) 술 밥에 배 부르랴?
   (   ) 번 실수는 병가 상사.
   (   ) 번 엎지른 물은 다시 주워 담지 못한다.
   (   ) 입으로 두 말 한다.

정답) 1. 첫 / 2. 눈 / 3. 한

동그라미, 세모, 네모, 오각형이 뒤죽박죽으로 섞여 있습니다. 같은 모양끼리 3개씩 모아 재배열하면 꽃 이름이 됩니다. 어떤 꽃들이 있는지 맞춰 보세요.
책장을 덮어놓고 외워보세요.

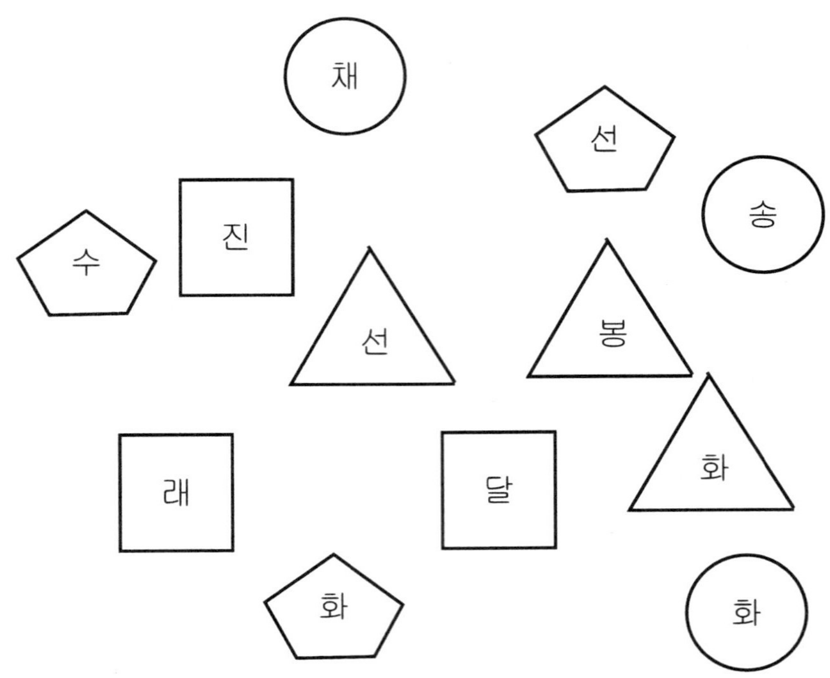

정답) 세모: 봉선화　동그라미: 채송화　네모: 진달래　오각형: 수선화

인지훈련 프로그램

_______년 _____월 _____일

다음 가게에 전화를 하려고 합니다.
중국집은 652-5943번, 분식집은 574-1458번,
치킨집은 636-1148번, 세탁소는 438-5638번입니다.
중국집부터 세탁소까지 한번씩 전화기 버튼을 눌러보세요.

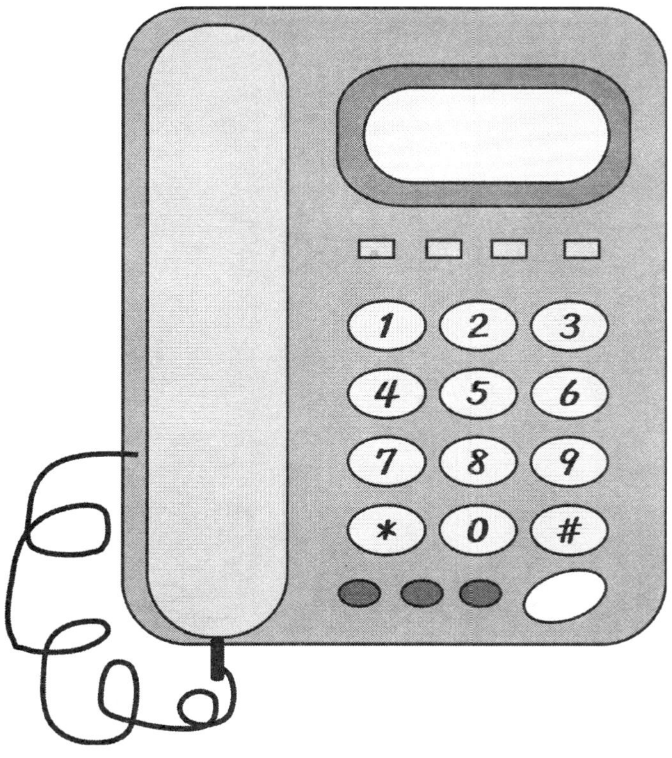

바둑판의 일부입니다. 흰 돌과 검은 돌이 놓여진 바둑판의 차이를 알아보세요.

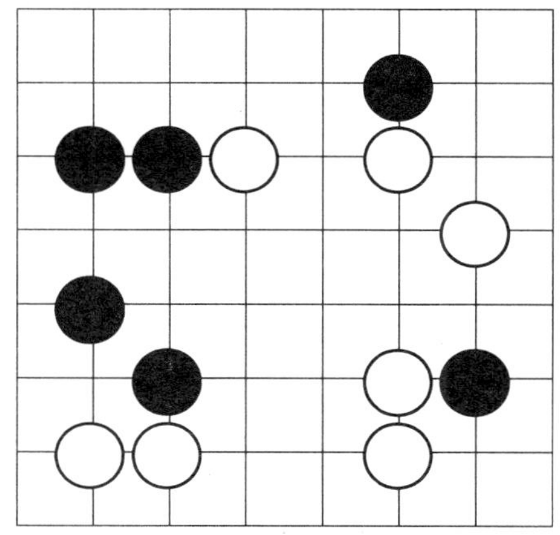

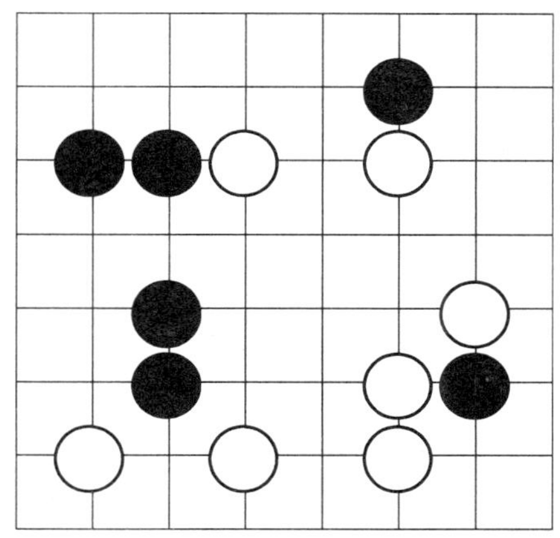

정답) 좌하쪽의 검은 돌과 흰돌, 우하쪽의 흰돌

우체부가 물건을 배달합니다. 시골이라 자전거를 타고 산골마을 주민들에게 물건을 전달하는데, 오늘은 바다에서 잡은 신선한 해산물을 배달이 많았습니다. 게, 오징어, 호박의 순서로 배달을 했는데 오는 길에 손목시계를 주워 경찰서에 신고를 하고 왔습니다. 연필로 줄을 그으면서 사다리 타기를 해보세요.

줄을 그으면서 위의 글을 외우시되 사다리타기를 하면서 외워보세요.

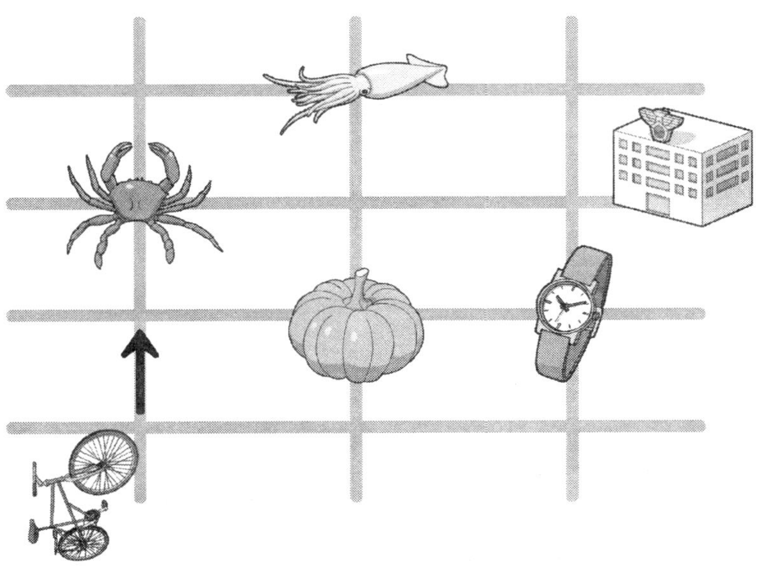

1. 우체부가 배달한 물건은 어떤 것들인가요?
2. 우체부가 주워 경찰서에 신고한 물건과 오늘 배달한 물건 중 해산물이 아닌 것은?

정답) 1. 게, 오징어, 호박 / 2. 손목시계, 호박

다음은 다양한 동물입니다. 다음 문제를 읽고 답하세요.

1. 위의 그림에서 바다에서 사는 동물은 무엇인가요?

2. 위의 그림에서 육지에서 사는 동물은 무엇인가요?

정답) 1. 상어, 새우, 문어, 오징어 / 2. 곰, 사슴, 염소, 당나귀

그림 위에 구멍이 뚫려 있습니다. 그림은 무엇이었을까요?

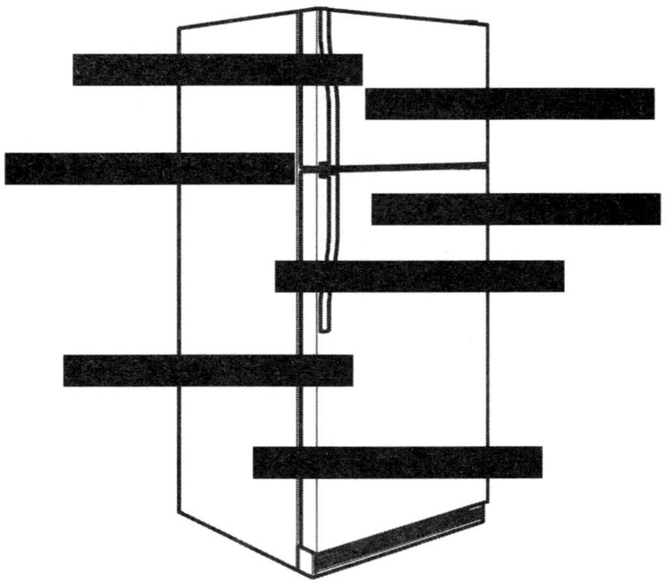

정답) 냉장고

입체도형이 그려져 있습니다. 입체적인 느낌이 잘 표현되도록 그림과 똑같이 그려보세요.

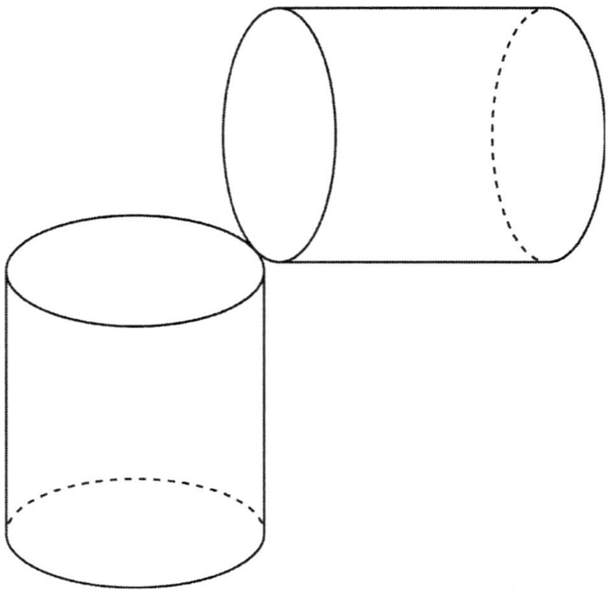

낱말퍼즐이 있네요. 위쪽 상자에 있는 그림의 이름이 낱말퍼즐의 힌트입니다. 잘 보고 하나씩 풀어보세요.

바				딸
		비		
			장	
	다			

정답) 가로: 바나나, 비행기, 장구, 다리미 / 세로: 바이올린, 나비, 딸기, 장미

왼손의 번호를 모두 말해보세요.

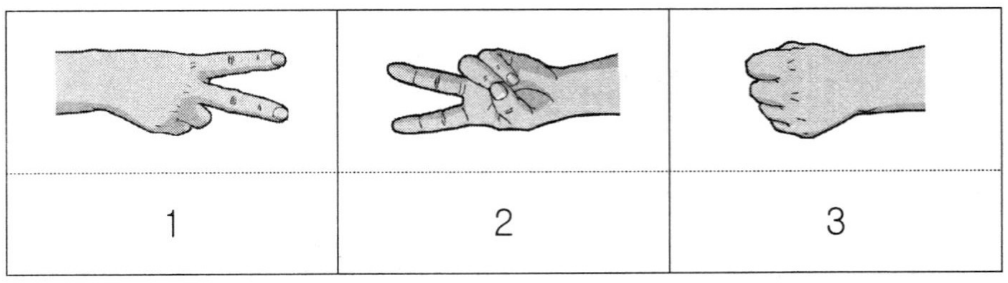

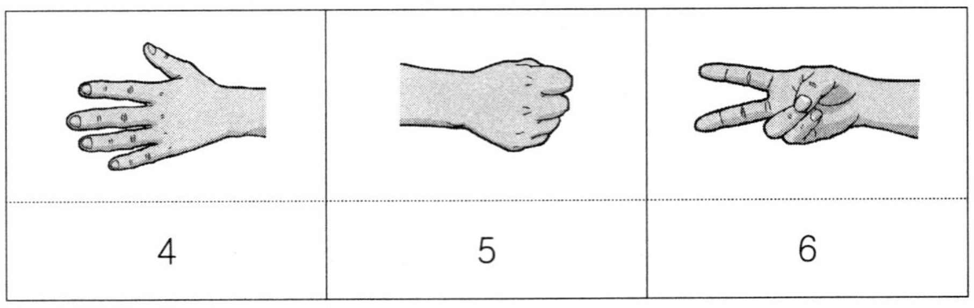

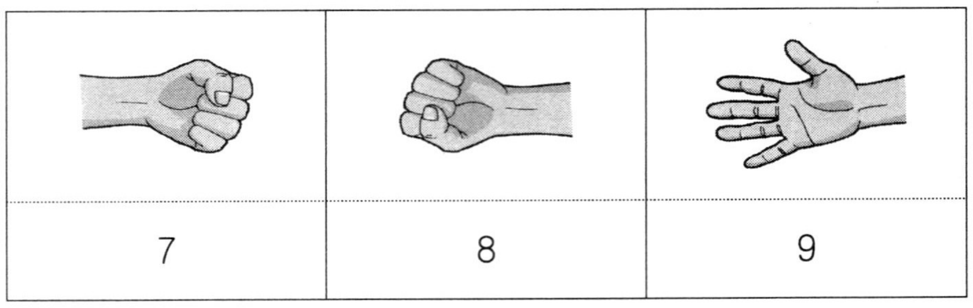

정답) 2, 3, 4, 7, 8

인지훈련 프로그램

_______년 _____월 _____일

신문에 나오는 텔레비전 편성표입니다. 두 개의 편성표를 비교하여 서로 다른 부분을 찾아 아래쪽 편성표에 동그라미 쳐 보세요.

	------ KBS	------ MBC
2	2:00 바른말 고운말	2:30 끄러기 동산 4:00 들리
4	4:30 뽀뽀뽀	
6	6:00 오늘의 뉴스	6:00 뉴스 데스크
8	8:00 내 고향 소식 9:00 스포츠 동서남북	8:00 일일 연속극 이웃사촌 9:00 특별기획 한국의 사계
10	10:30 마감뉴스	10:30 뉴스추적

	------ KBS	------ MBC
2	2:00 바른말 고운말	2:30 꾸러기 동산 4:00 두리
4	4:30 뽀뽀뽀	
6	6:00 오늘 뉴스	6:00 뉴스 데스크
8	8:00 내 고향 소식 9:30 스포츠 동서남북	8:00 일일 연속극 이웃사촌 9:00 특별기획 한국의 사계
10	10:30 마감뉴스	10:30 뉴스 추적

정답) 오늘 뉴스, 9:30, 두리, 뉴스 추적

신랑, 신부가 결혼을 앞두고 신혼살림을 차리기 위해 물건을 사러 갑니다. 시골에 살기 때문에 기차를 타고 쇼핑을 하러 갑니다. 미리 계약해둔 자가용을 인수 받아 경품으로 받은 선풍기를 트렁크에 실은 후, 제화점에 들러 결혼식 때 신을 구두도 새로 맞추었습니다. 오는 길에 사과가 너무 맛있어 보여 하나를 사서 둘이 나누어 먹었는데, 배탈 때문에 병원 응급실에 들러야 했습니다.

줄을 그으면서 위의 글을 외우시되 사다리타기를 하면서 외워보세요.

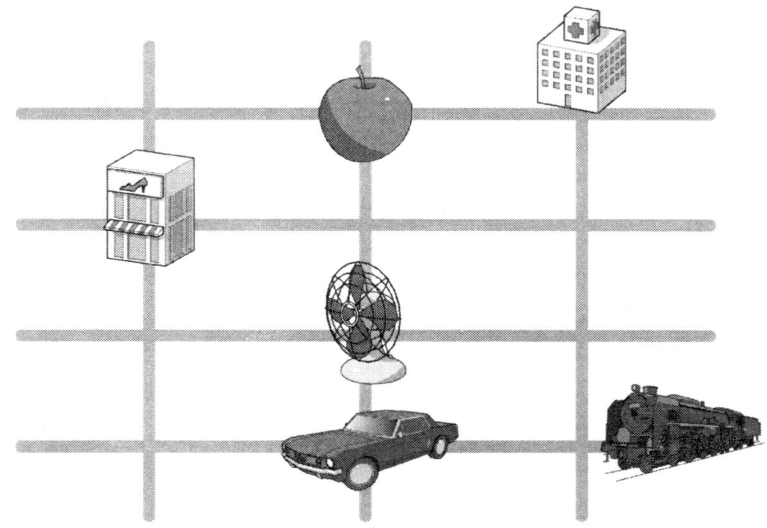

1. 신랑신부가 산 물건은 어떤 것들인가요?
2. 맨 마지막으로 들른 곳은?

정답) 1 자동차, 구두, 사과 답 2. 병원

다음은 다양한 꽃입니다. 다음 문제를 읽고 답하시오.

1. 위의 그림에서 우리나라를 상징하는 꽃은 무엇인가요?

2. 위의 그림에서 어버이날에 가장 많이 볼 수 있는 꽃은 무엇인가요?

정답) 1. 무궁화 / 2. 카네이션

숫자를 1부터 순서대로 눈으로 연결해보세요.

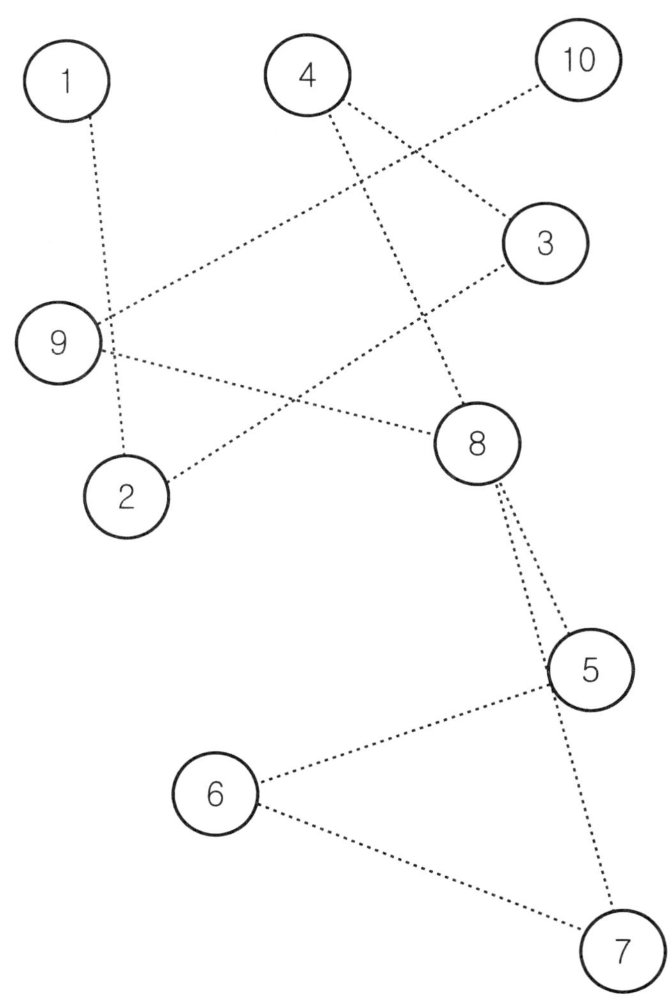

입체도형이 그려져 있습니다. 입체적인 느낌이 잘 표현되도록 그림과 똑같이 그려보세요.

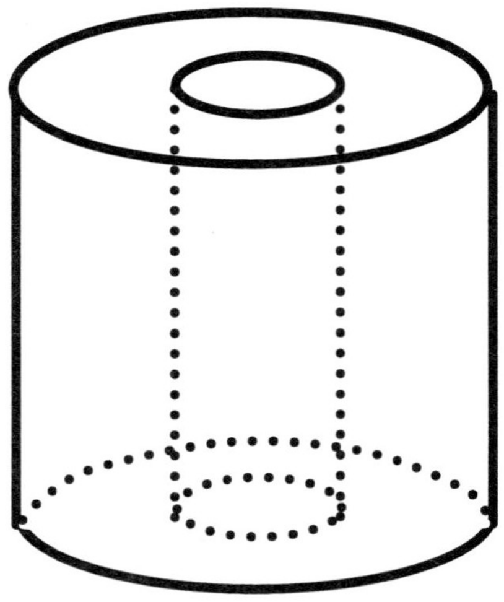

날말퍼즐이 있네요. 위쪽 상자에 있는 그림의 이름이 날말퍼즐의 힌트입니다. 잘 보고 하나씩 풀어보세요.

피				개
		다	리	
			전	
	비		기	

정답) 가로: 피아노, 다리미, 비둘기 / 세로: 피리, 개미, 전화기

왼손의 번호를 모두 말해보세요.

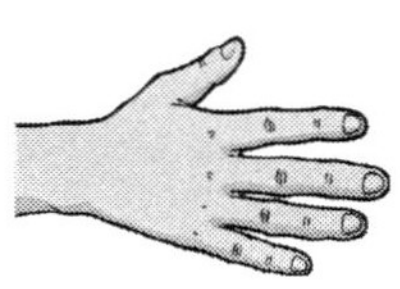	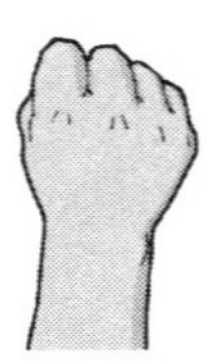	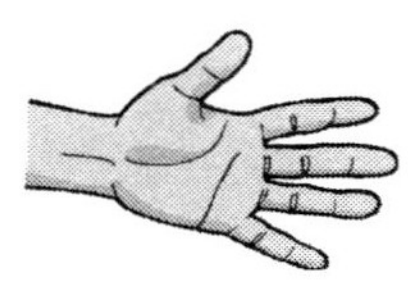
1	2	3
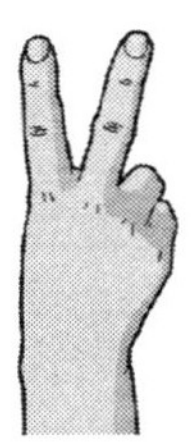	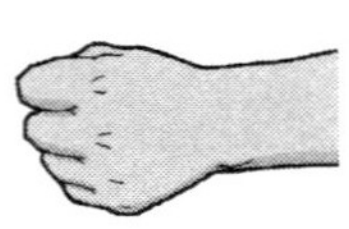	
4	5	6
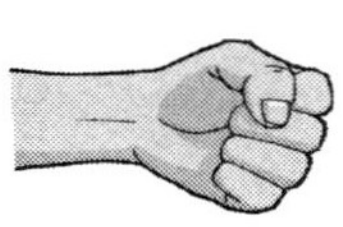		
7	8	9

정답) 3, 5, 6, 7, 8

악보입니다. 위와 다른 아래의 부분을 찾아보세요.

정답) 종의 반박자 음표, 땡의 음계 파

인지훈련 프로그램

_______년 _____월 _____일

여행안내 광고입니다. 밑줄 친 단어를 외우시고 아래의 빈칸에 알맞은 말을 넣어보세요.

한려수도 3박 4일
강력추천 - 최고인기 상품전
노팁, 5식 제공, 전용 럭셔리 관광버스 전세
여수/광양/하동/남해/진주
특별 가격할인 23만 6천원 → 21만원부터
5식 제공, 입장료 제외
▶ 출발일 8월 21일, 24일, 25일, 28일 단 4회
서울역 앞 오전 9시 정각 출발
브라보 여행사, 예약전화 TEL. 02-0999-0000

한려수도 ( )박 4일
강력추천 - 최고인기 상품전
노팁, 5식 제공, 전용 럭셔리 관광버스 전세
여수/광양/( )/남해/진주
특별 가격할인 23만 6천원 → ( )만원부터
5식 제공, 입장료 제외
▶ 출발일 8월 21일, 24일, 25일, 28일 단 4회
( ) 앞 오전 9시 정각 출발
브라보 여행사, 예약전화 TEL. 02-0999-0000

정답) 3, 하동, 21, 서울역

다음은 다양한 과일과 채소입니다. 다음 문제를 읽고 답하시오.

1. 위의 그림에서 먹을 때 칼을 사용하지 않는 과일은 무엇인가요?

2. 위의 그림에서 채소는 무엇인가요?

정답) 1. 포도, 귤, 바나나 / 2. 토마토

가나다 순서대로 눈으로 연결해보세요.

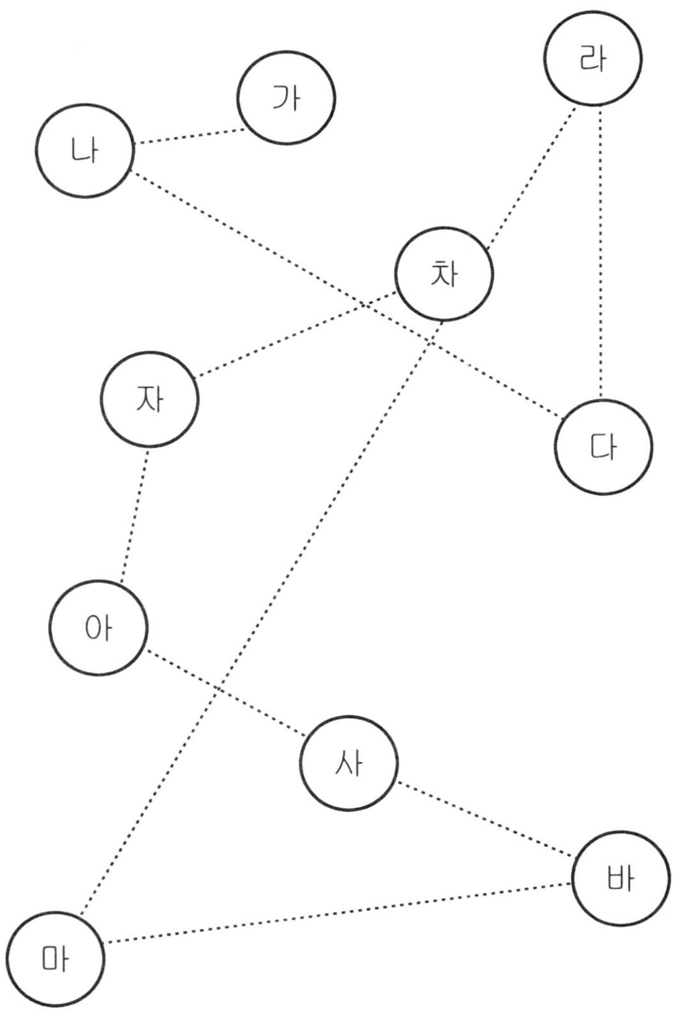

입체도형이 그려져 있습니다. 입체적인 느낌이 잘 표현되도록 그림과 똑같이 그려보세요.

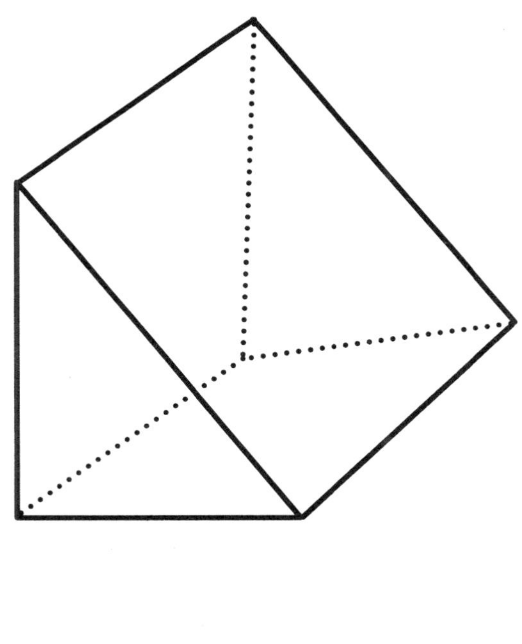

낱말퍼즐이 있네요. 위쪽 상자에 있는 그림의 이름이 낱말퍼즐의 힌트입니다. 잘 보고 하나씩 풀어보세요.

		라		딸
			메	
미				
			이	

정답) 가로: 귀뚜라미, 메기, 달팽이 / 세로: 원숭이, 딸기, 개미

오른손의 번호를 모두 말해보세요.

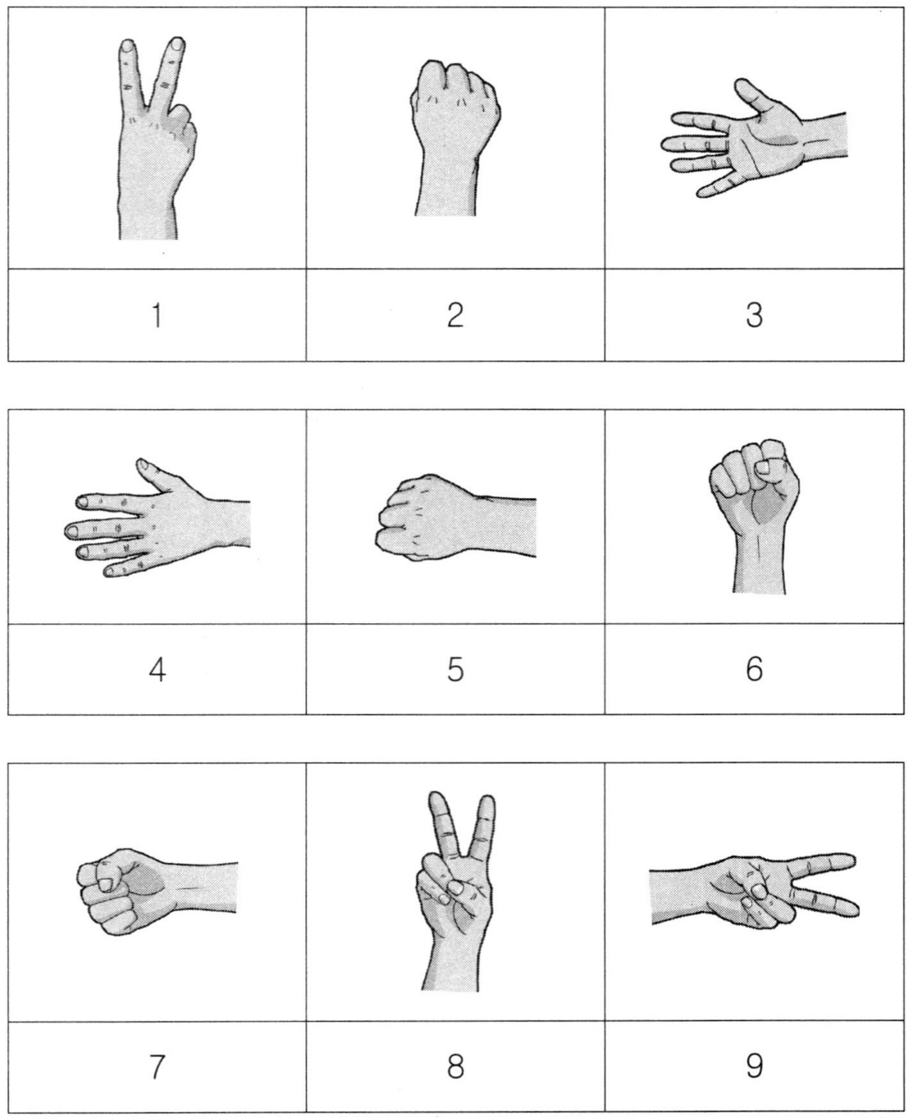

정답) 1, 2, 3, 5, 6, 7, 8

사격장에 있는 과녁입니다. 총 다섯 발의 총알을 쏘았는데 몇 점일까요?

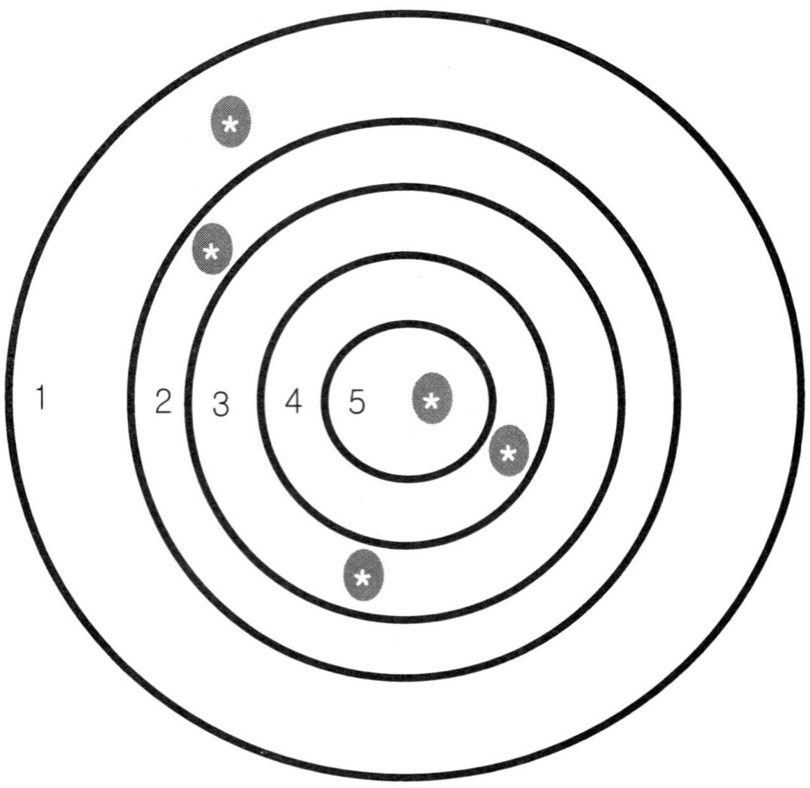

정답) 15점

빨래를 해둔 양말 꾸러미입니다. 1, 2번과 같은 양말의 짝을 찾아보세요.

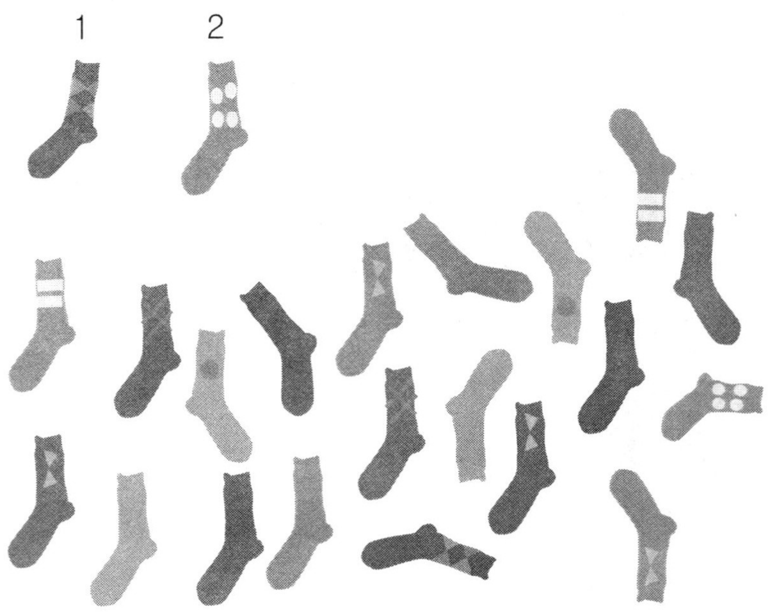

정답) 1. 왼쪽 밑에서 5번째 2. 오른쪽 위에서 3번째

인지훈련 프로그램

________년 ______월 ______일

왼쪽에 있는 원주민이 어릴 적 잃어버린 쌍둥이 동생을 애타게 찾고 있네요!
오른쪽 상자 안에 있는 원주민들 중, 왼쪽 원주민과 똑같이 생긴 원주민을 찾아 동그라미 해 보세요.

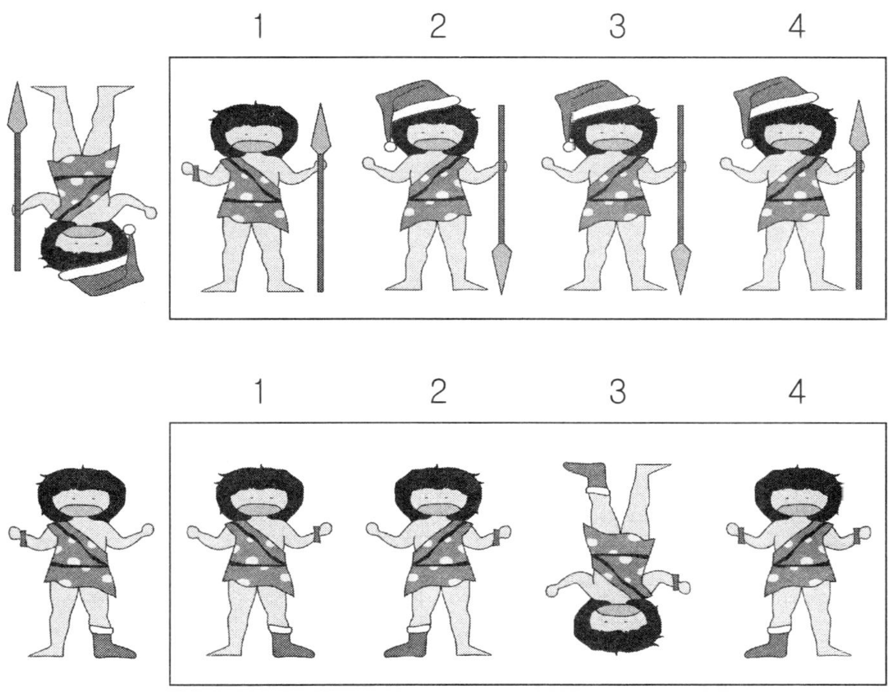

정답) 2, 3

번호를 누르는 자물쇠입니다. 자물쇠가 있는데 3, 8, 5 번의 역순입니다. 외운 후 아래의 자물쇠의 버튼에 동그라미를 쳐 보세요.

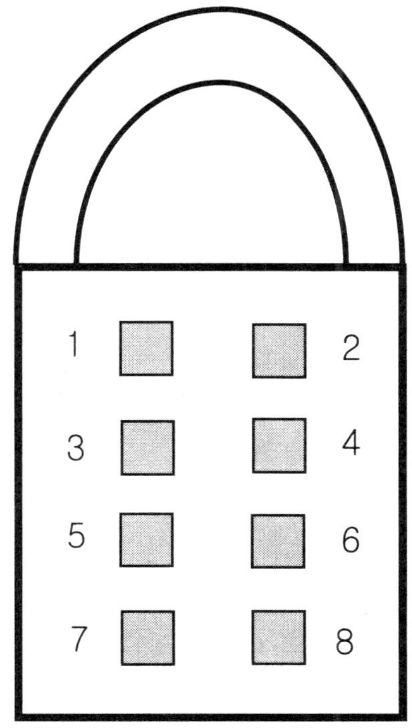

네 가지 그림이 겹쳐져 있네요. 어떤 그림들이 겹쳐져 있는 것일까요?

정답) 자동차, 딸기, 바나나, 토끼

그림들이 겹쳐져 있습니다. 무엇이 맨 위에 놓여져 있는지 주의하면서 빈 공간에 똑같이 그려보세요.

다음은 다양한 물건입니다. 다음 문제를 읽고 답하세요.

1. 위의 그림에서 화장실에서 볼 수 있는 물건은 무엇인가요?

2. 위의 그림에서 방청소를 할 때 사용하는 물건은 무엇인가요?

정답) 1. 칫솔, 치약, 두루마리 화장지 / 2. 방 빗자루, 쓰레받기

ABC 순서대로 눈으로 연결시켜보세요.

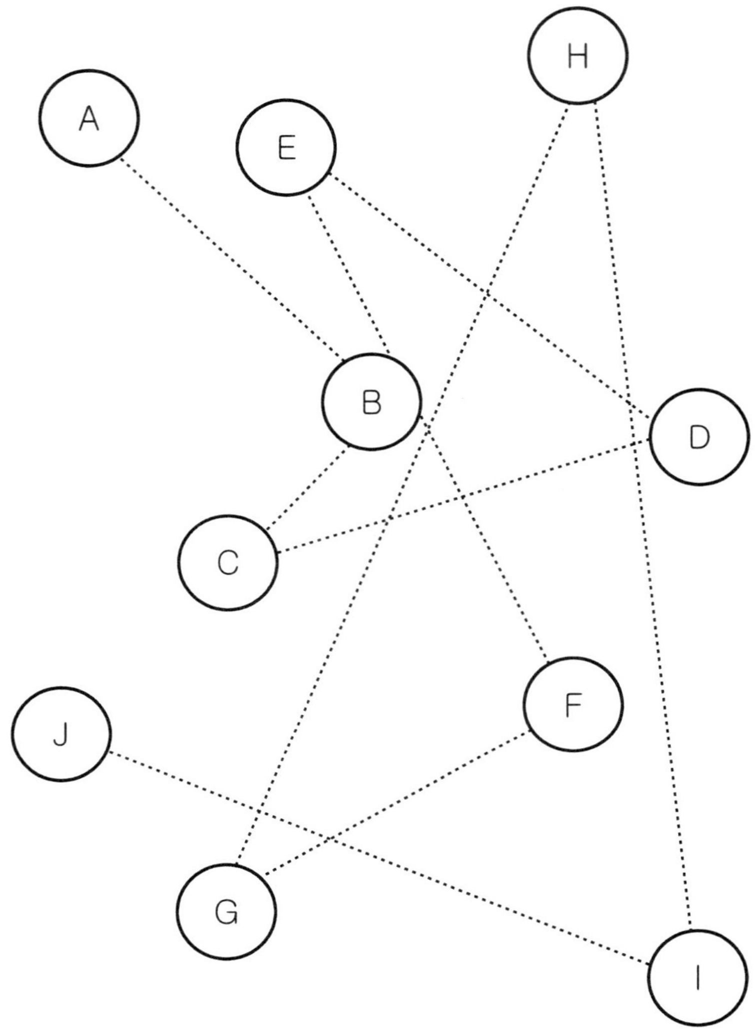

왼쪽 그림과 똑같이 되도록 오른쪽 그림에 도형을 채워 넣어 보세요.

○			□	△
	□	○		
			□	
	○		△	
△			○	

○				△
		○		
			△	
△				

		□		○
	△			
○			□	
				△
△	□		○	

낱말퍼즐이 있네요. 위쪽 상자에 있는 그림의 이름이 낱말퍼즐의 힌트입니다. 잘 보고 하나씩 풀어보세요.

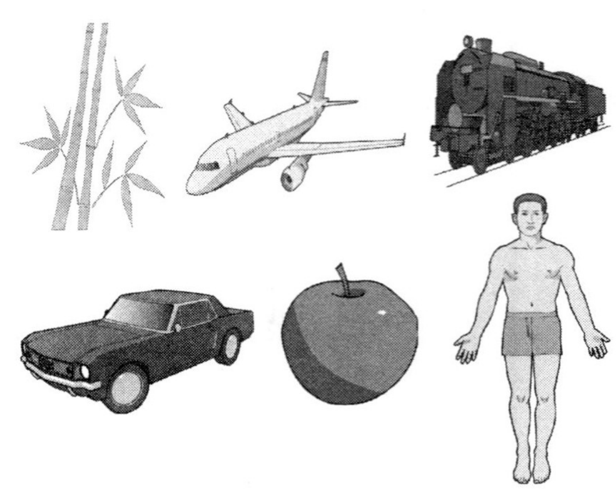

		무		
			행	
				차
		사		

정답) 가로: 대나무, 기차, 사과(사람) / 세로: 비행기, 자동차, 사람(사과)

인지훈련 프로그램

_______년 _____월 _____일

다음의 세 가지 선이 아래 그림에서 어떤 번호에 해당하는지 적어보세요.

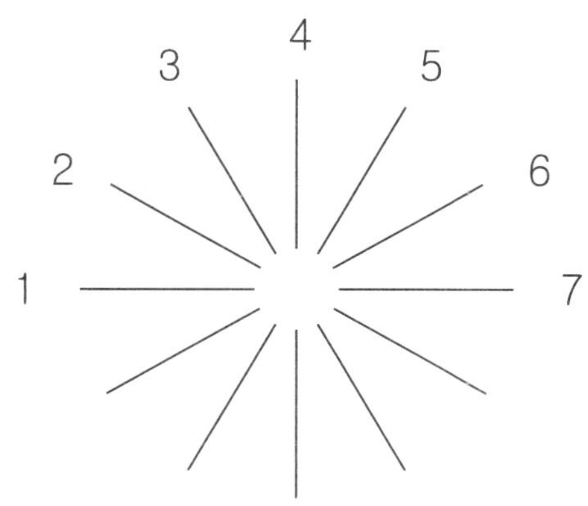

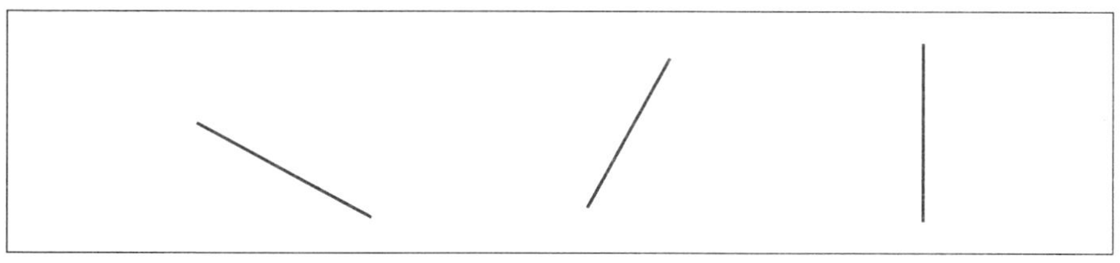

정답) 2, 5, 4

세 가지 그림이 겹쳐져 있네요. 어떤 그림들이 겹쳐져 있는 것일까요?

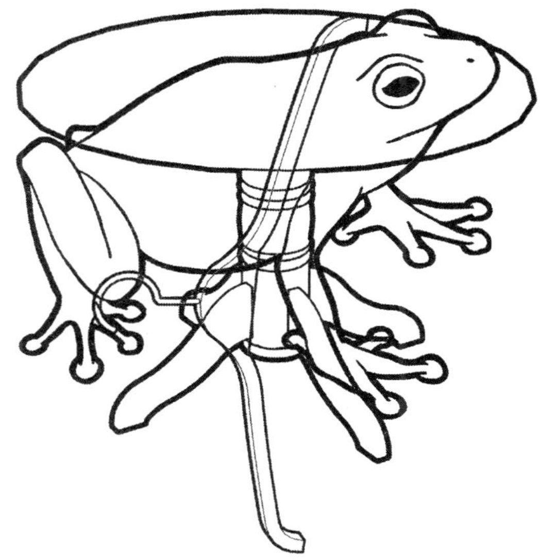

정답) 탁자, 옷걸이, 개구리

다음 사진을 보고 이야기를 해보세요.

아래의 그림과 같이 반복되는 모양을 빈곳에다가 펜으로 똑같이 그려보세요.

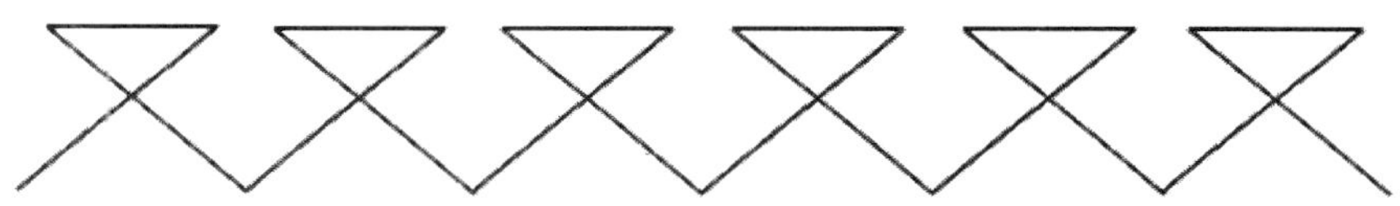

→

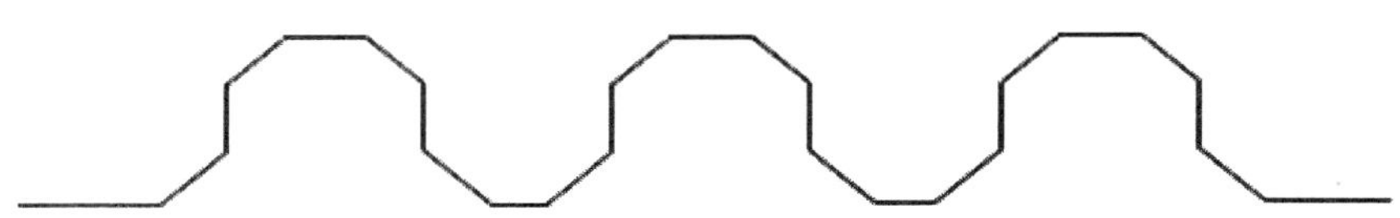

→

1, 2, 3 순서대로 눈을 따라 움직여 보세요.

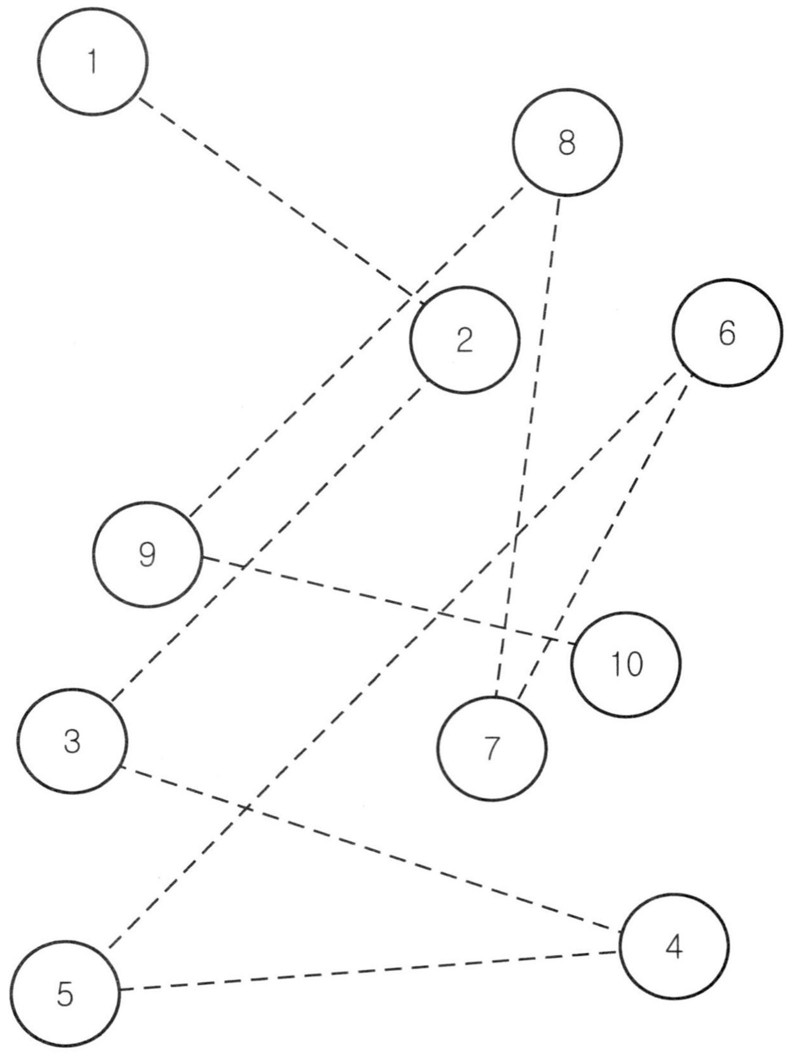

그림들이 겹쳐져 있습니다. 무엇이 맨 위에 놓여져 있는지 주의하면서 빈 공간에 똑같이 그려보세요.

낱말퍼즐이 있네요. 위쪽 상자에 있는 그림의 이름이 낱말퍼즐의 힌트입니다. 잘 보고 하나씩 풀어보세요.

	바			
돼				끼
		풍		
				장

정답) 가로: 돼지, 토끼, 선인장 / 세로: 바지, 선풍기, 코끼리

왼쪽에 있는 원주민이 어릴 적 잃어버린 쌍둥이 동생을 애타게 찾고 있네요!
오른쪽 상자 안에 있는 원주민들 중, 왼쪽 원주민과 똑같이 생긴 원주민을 찾아 동그라미 해 보세요.

정답) 2, 4

인지훈련 프로그램

_______년 _____월 _____일

세 가지 그림이 겹쳐져 있네요. 어떤 그림들이 겹쳐져 있는 것일까요?

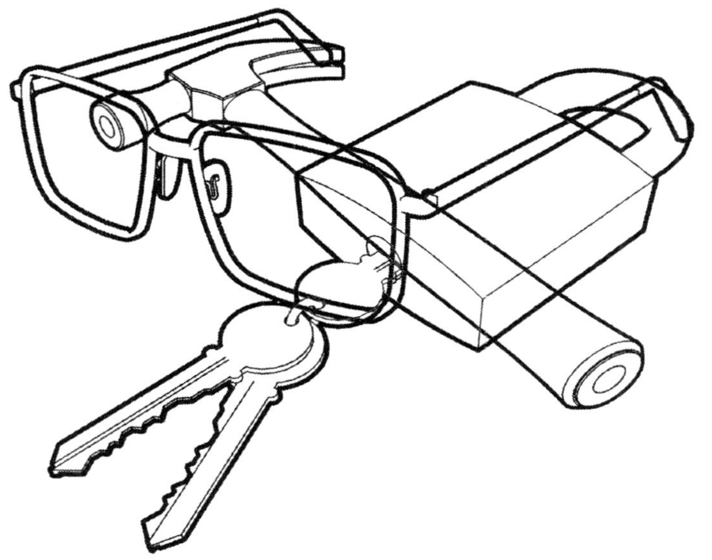

정답) 안경, 망치, 열쇠, 자물쇠

다음 사진을 보고 이야기를 해보세요.

선을 따라 그려보세요.

1, 2, 3 순서대로 눈을 따라 움직여 보세요.

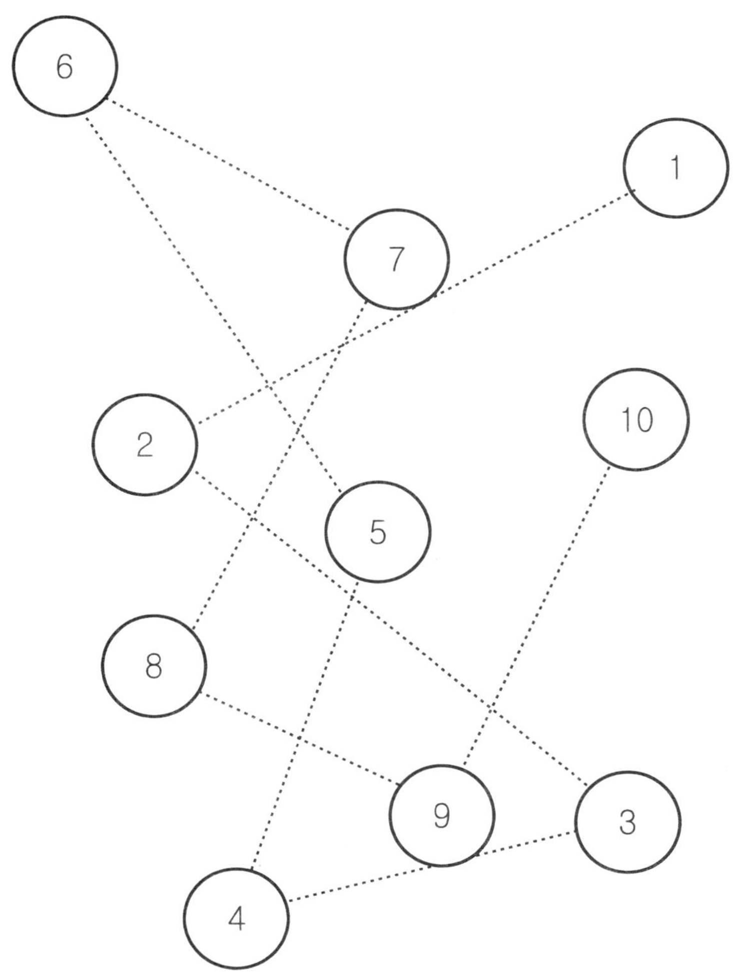

왼쪽 그림과 똑같이 되도록 오른쪽 그림에 도형을 채워 넣어 보세요.

○				△
	□		○	
△			□	
	○		△	□
		○		

○				△
			○	
			△	
△				

□			○	
		△		
○				□
	△	△		
	□		○	

여러 가지 메뉴를 파는 식당의 차림표입니다. 일부는 1980년대 추억의 가격으로 표시되어 있습니다. 주문을 해 보세요. 적당한 가격에 맛있게 먹기 위해서는 딸랑거리는 지갑의 돈에 잘 맞추어야겠지요?

차 림 표					
한 식		중 식		일 식	
비빔밥	4,000원	자장면	6,000원	회(대)	70,000원
한정식	7,500원	짬 뽕	8,000원	(중)	50,000원
불고기백반	5,000원	탕수육	20,000원	(소)	30,000원
꽁보리밥	3,500원	깐풍기	25,000원	복국	8,000원
찌개, 탕		주 류			
김치찌개	5,000원	막걸리	650원	맥주	850원
매운탕	6,000원	소주	1,000원	정종	3,000원
안 주 류					
두루치기	7,000원	골뱅이 무침	10,000원	파전	4,000원
생선구이	6,000원	아구찜	20,000원	감자탕	10,000원

1. 점심 때 한정식, 매운탕, 막걸리를 시켜먹으면 얼마를 지불해야 하나요?

2. 저녁 때 깐풍기 두 개, 자장면 한 개, 맥주 한 병을 시켜먹으면 얼마를 지불해야 하나요?

정답) 1. 14,150원 2. 56,850원

왼쪽에 있는 원주민이 어릴 적 잃어버린 쌍둥이 동생을 애타게 찾고 있네요!
오른쪽 상자 안에 있는 원주민들 중, 사각형 안에 있는 원주민과 똑같이 생긴 원주민을 찾아 동그라미 해 보세요.

정답) 7

다음의 세 가지 선이 아래 그림에서 어떤 번호에 해당하는지 적어보세요.

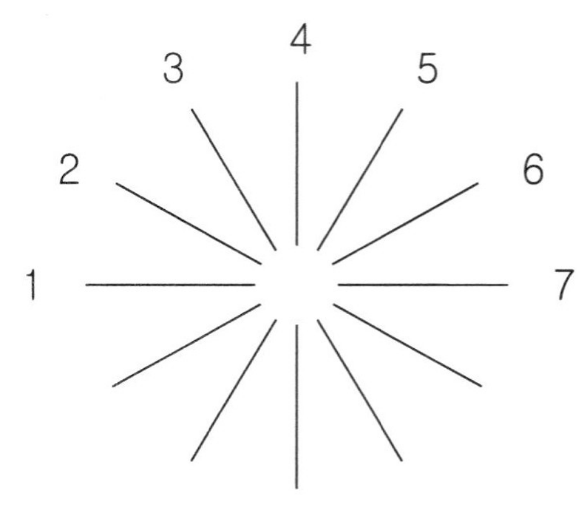

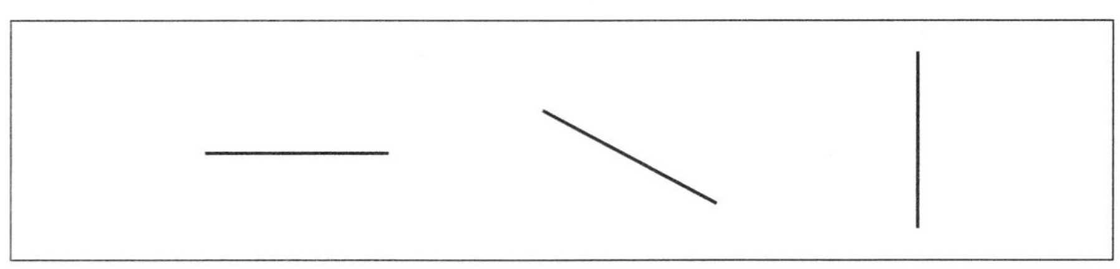

정답) 1, 2, 4

인지훈련 프로그램

_____년 ____월 ____일

다음 사진을 보고 이야기를 해보세요.

점선을 따라 그려보세요.

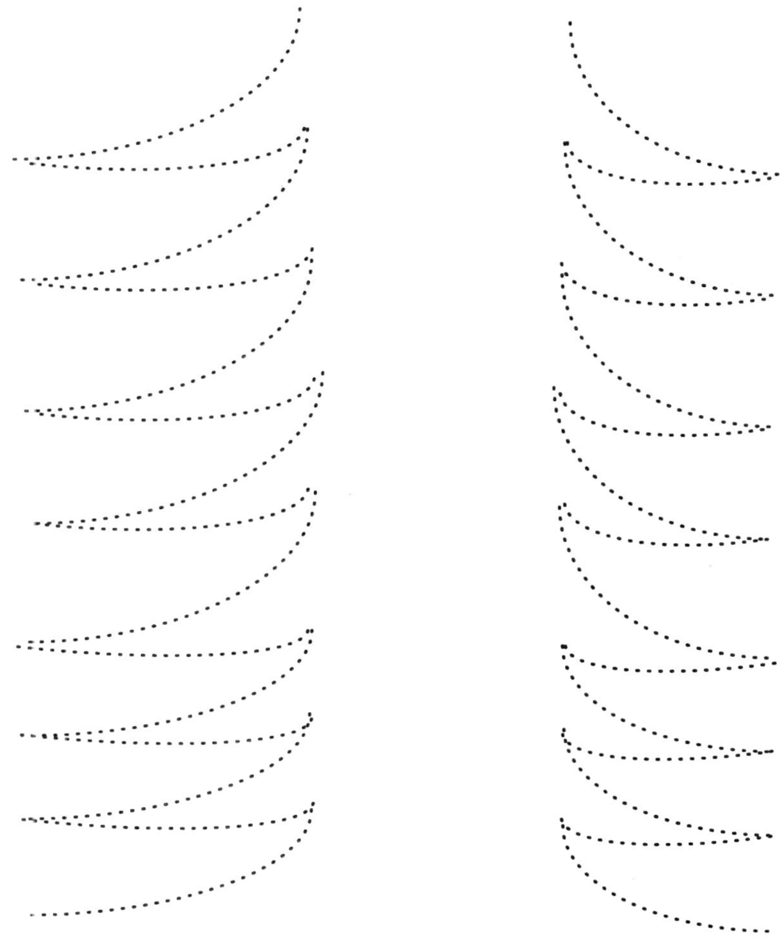

직장을 옮기게 되어 이사를 하려합니다. 대연동에 전세를 구하려 합니다. 맞는 집을 찾아보세요.

2층 주택 임대 **화장실, 씽크대** 문현동, 사무소 부근 70평. 주차장 완비 보증금 1천만원 월/70만원 010-001-1439	**맨션급매** **20평 구조** **방3*욕실1개** 위치 좋음, 마을버스 1분 거리 은 4000안고 6500 017-030-2980 대연동 유엔로타리 부근	**상가주택급매** 3층 못골 시장 인근 유동 인구 많은 곳 전세 5천 안고 **인수 1억5천** 016-060-4179
아파트 매매/전세 용호동(24평) 동원아파트 로얄층 1101동 2401호 매매: 1.5억 전세: 1억 주인 직: 019-002-3488	**공지 매매/임대** **1000평 6차선 도로 접** 감만동 못골 시장 인근 주차장, 창고 가능 도시고속도로 인접 5분 거리 **매매: 1억5천** **월세: 70만** 017-099-2366	**사무실 임대** **사무실, 씽크대 분리** 문현동 주유소 부근 25평. 주차장 3대 보증금 5천만원 월/30만원 010-061-7041
상가급매 1층 편의점 성업 중 월 3천 매 지하철 인근, 대로 접 유동 인구 많은 곳 이민 관계로 급매 **인수 2억8천** 011-002-2878	**다세대주택 매매** **20평, 엘리베이터 설치** **방2*거실*욕실** 조용한 곳, 시내버스 3분 거리 융자 8천 안고, 9천 017-106-1139 용호동 버스종점 부근	**아파트 전세** 대연동 54평, 남향, 햇볕 좋음 롯데아파트 101동 201호 **매매: 1.5억** **융자: 5천** 019-002-3147

정답) 오른쪽 마지막 칸

왼쪽 그림과 똑같이 되도록 오른쪽 그림에 도형을 채워 넣어 보세요.

	○			
		□		
●		△	■	
○		□		△
	▲		○	

	○			
		□		
			■	
△			○	

		△		
○		2	○	
	□			△
1			3	
		□		

		△		
			3	

손자들과 나들이를 갔습니다. 벽에 걸린 메뉴가 아래와 같습니다. 순대 큰 쟁반 1개, 소세지 2개, 팥빙수 2인분을 시키면 얼마를 계산해야 하나요?
팥빙수 1인분, 떡볶이 작은 컵 1개, 샌드위치 1개를 시키고 만원을 내면 얼마를 돌려받나요?

메뉴

소세지	1,000원 (1개)
떡볶이	3,000원 (큰 컵)
	2,000원 (작은 컵)
샌드위치	1,500원
팥빙수	1,500원 (1인분)
	2,500원 (2인분)
순대	2,000원 (작은 쟁반)
	3,500원 (큰 쟁반)

정답) 8000원, 5000원

왼쪽에 있는 원주민이 어릴 적 잃어버린 쌍둥이 동생을 애타게 찾고 있네요!
오른쪽 상자 안에 있는 원주민들 중, 왼쪽 원주민과 똑같이 생긴 원주민을 찾아 동그라미 해 보세요.

정답) 3, 4

음의 세 가지 선이 아래 그림에서 어떤 번호에 해당하는지 적어보세요.

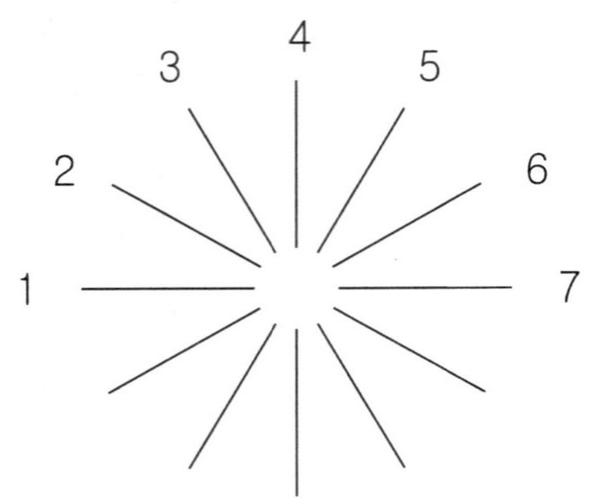

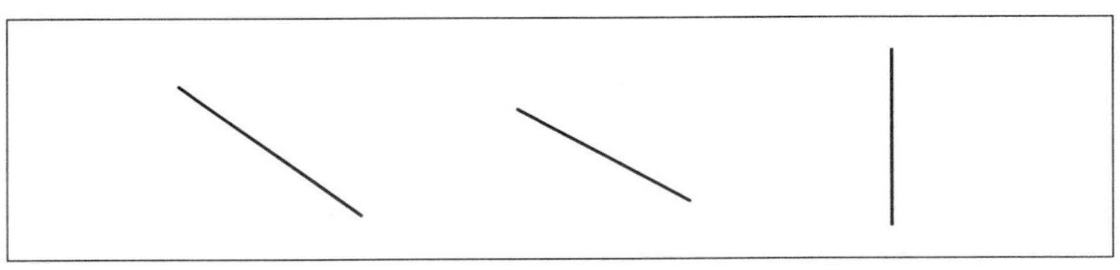

정답) 3, 2, 4

세 가지 그림이 겹쳐져 있네요. 어떤 그림들이 겹쳐져 있는 것일까요?

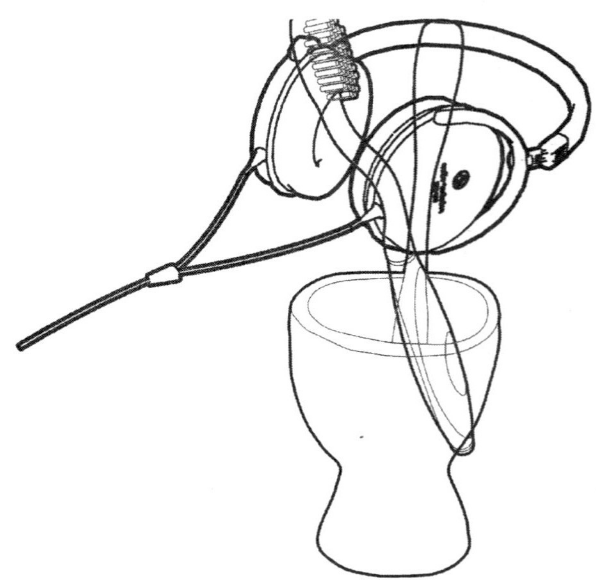

정답) 헤드폰, 절구, 칫솔

인지훈련 프로그램

_____년 _____월 _____일

세 가지 그림이 겹쳐져 있네요. 어떤 그림들이 겹쳐져 있는 것일까요?

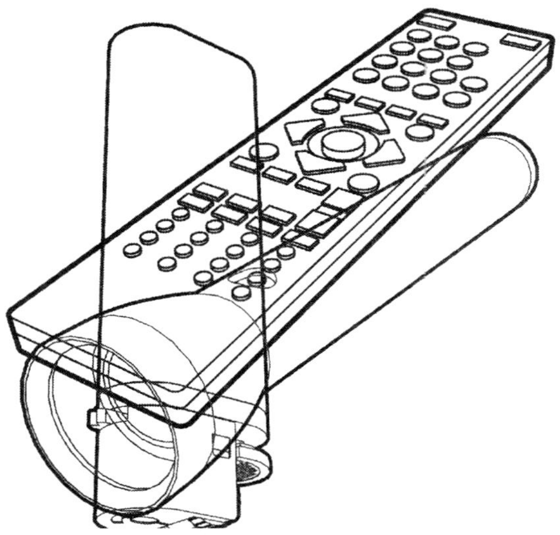

정답) 리모콘, 전등, 라이터

다음의 세 가지 선이 아래 그림에서 어떤 번호에 해당하는지 적어보세요.

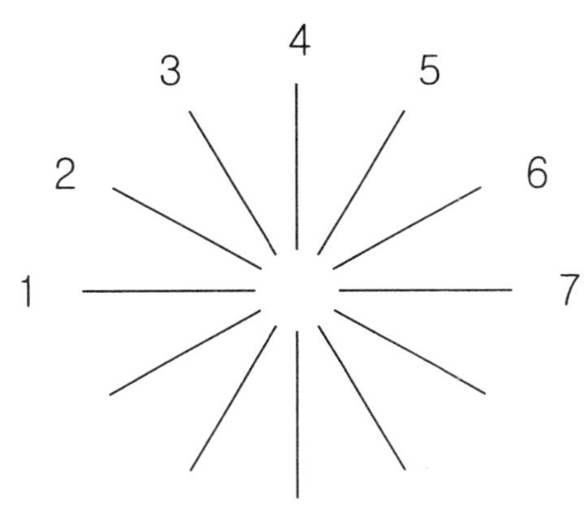

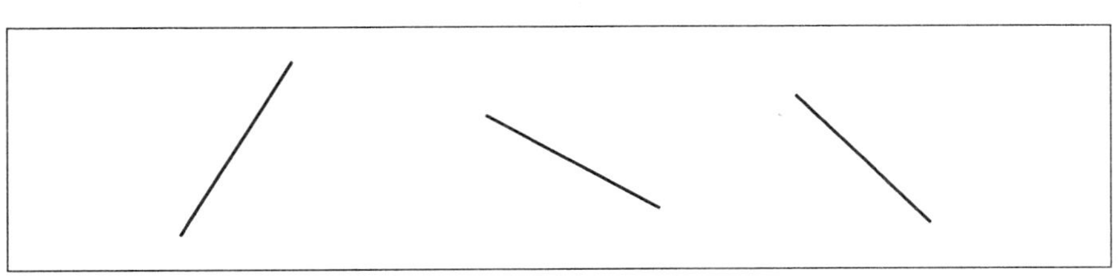

정답) 5, 2, 3

다음 사진을 보고 이야기를 해보세요.

왼쪽에 있는 원주민이 어릴 적 잃어버린 쌍둥이 동생을 애타게 찾고 있네요!
오른쪽 상자 안에 있는 원주민들 중, 왼쪽 원주민과 똑같이 생긴 원주민을 찾아 동그라미 해 보세요.

정답) 3, 3

다음의 그림을 잘 보시고 빈 공간에 똑같이 그려보세요.

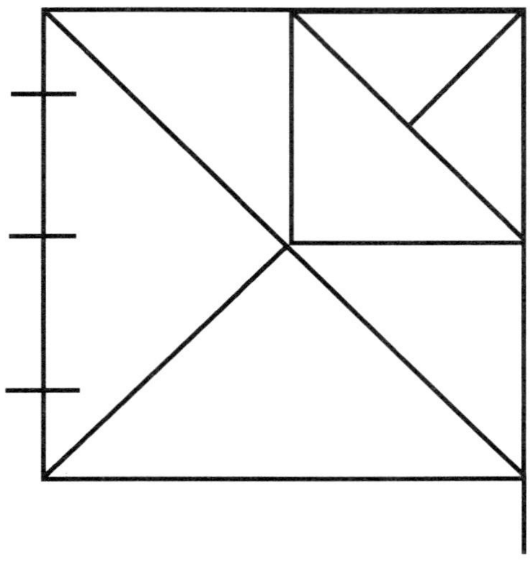

점선을 따라 그려보세요.

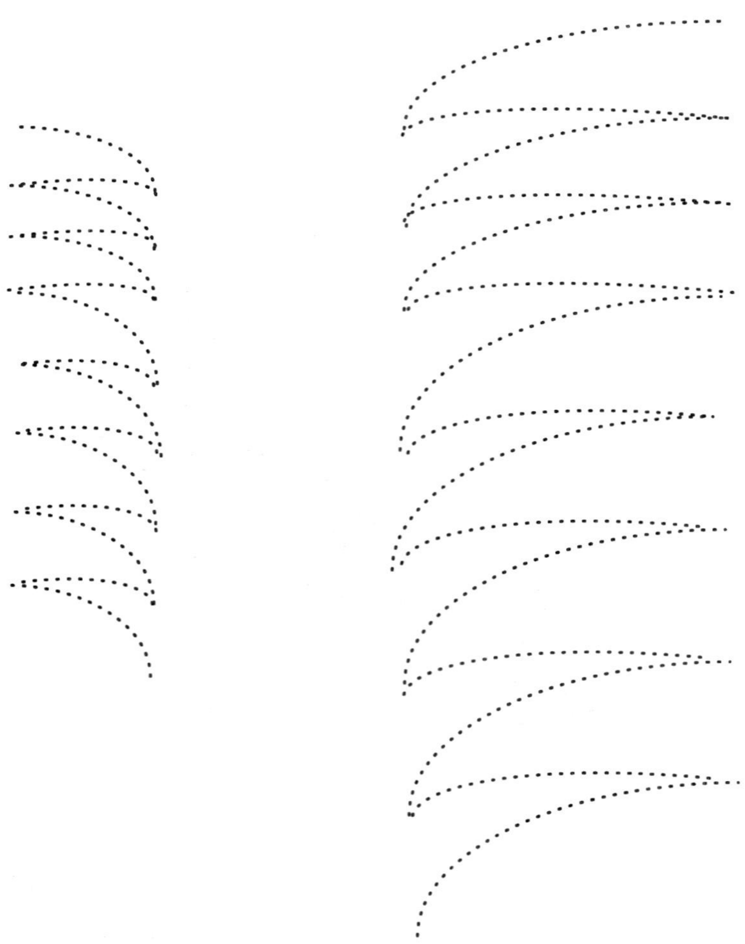

영순씨가 직장 동료들과 시내에서 간단하게 차를 먹기로 했습니다. 벽에 걸림 메뉴가 아래와 같습니다. 카페오레 3잔, 우유 2잔, 녹차 2잔, 사과 쥬스 3잔, 메론 쥬스 1잔을 시켰습니다. 얼마를 계산해야 하나요?
전통차를 다 합하면 얼마일까요?

전통차		
녹차	--	2,000원
십전대보탕	--	8,000원
인삼차	--	6,000원
유자차	--	3,000원
식혜	--	5,000원
율무차	--	4,000원

커피		
카페오레	--	1,000원
아메리칸	--	1,000원
카푸치노	--	2,000원
우유	--	1,500원
헤즐넛	--	3,000원
블랙	--	3,500원

생과일 쥬스		
키위	--	1,000원
딸기	--	1,000원
토마토	--	2,000원
오렌지	--	2,000원
메론	--	1,500원
사과	--	3,000원
파인애플	--	3,500원

정답) 20,500원, 28,000원

왼쪽 그림과 똑같이 되도록 오른쪽 그림에 도형을 채워 넣어 보세요.

		○		
			□	
			△	
△			○	

	우			리
	나			
			라	
대		한		민
	국			

	□	○		
			□	
△				

	나			
		한		

인지훈련 프로그램

_______년 _____월 _____일

은행에 돈을 찾으러 가야합니다. 길을 따라 가보면 통장 번호가 순서대로 길 위에 쓰여 있습니다. 연필로 길을 따라 가보세요. (주의! 옆에 선에 닿지 않도록 선을 그어보세요.)

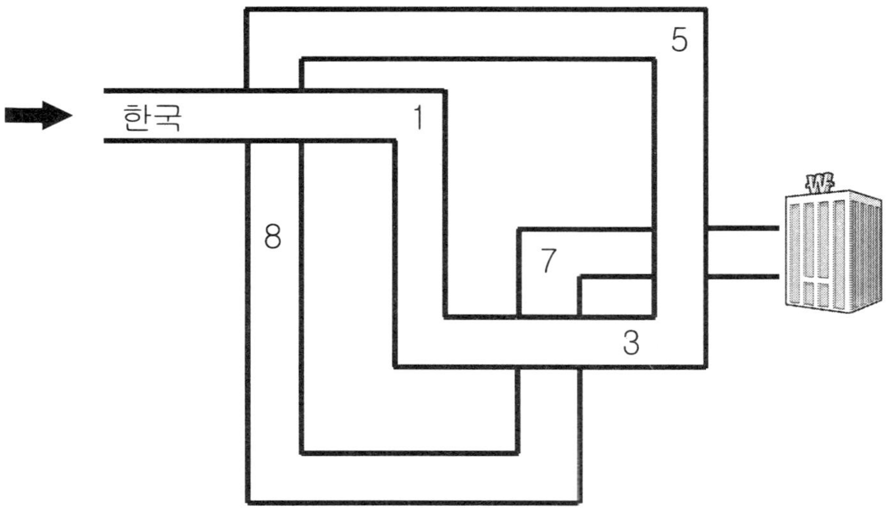

1. 통장번호는?

2. 돈을 찾기 위해서는 비밀번호를 알아야겠지요. 비밀번호는 통장번호 숫자의 역순입니다. 비밀번호는?

정답) 1. 한국 1-3-5-8-7 2. 7-8-5-3-1

다음의 세 가지 선이 아래 그림에서 어떤 번호에 해당하는지 적어보세요.

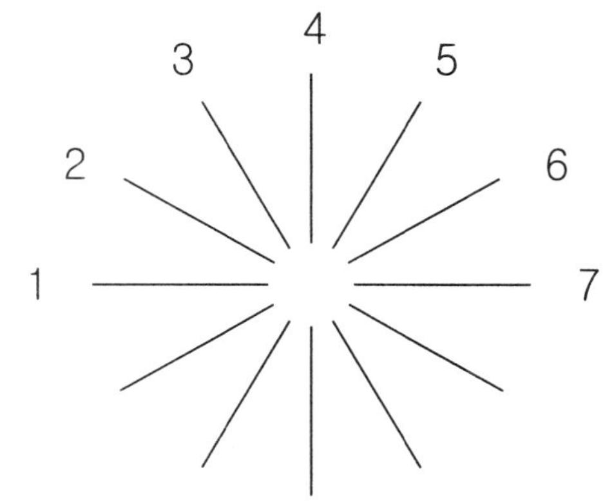

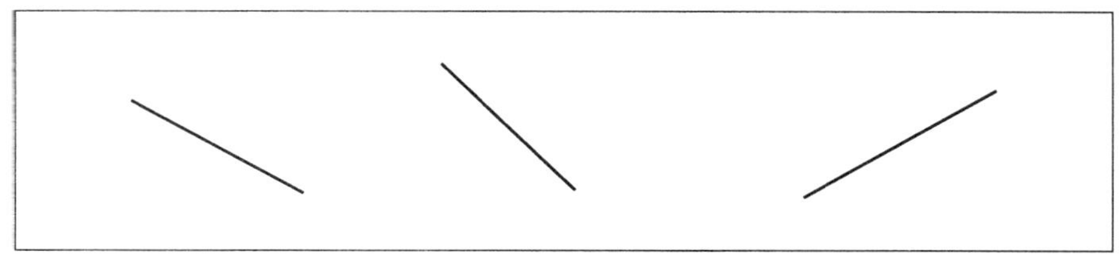

정답) 2, 3, 6

다음 겹쳐진 글자가 있습니다. 서로 맞는 글자에 줄을 그어보세요.

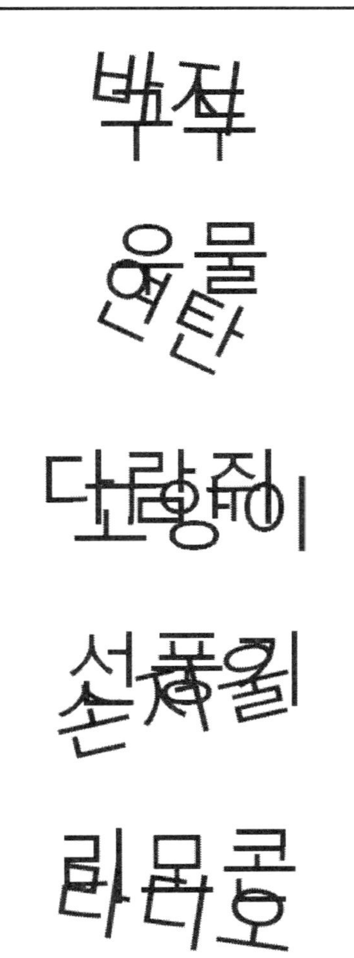

우물 •		• 구두
바지 •		• 연탄
다람쥐 •		• 손저울
리모콘 •		• 고양이
라디오 •		• 선풍기

다음 사진을 보고 이야기를 해보세요.

선을 따라 그려보세요.

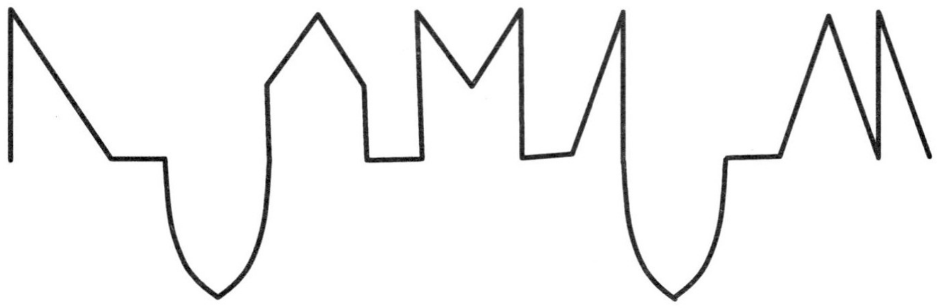

다음의 그림을 잘 보시고 빈 공간에 똑같이 그려보세요.

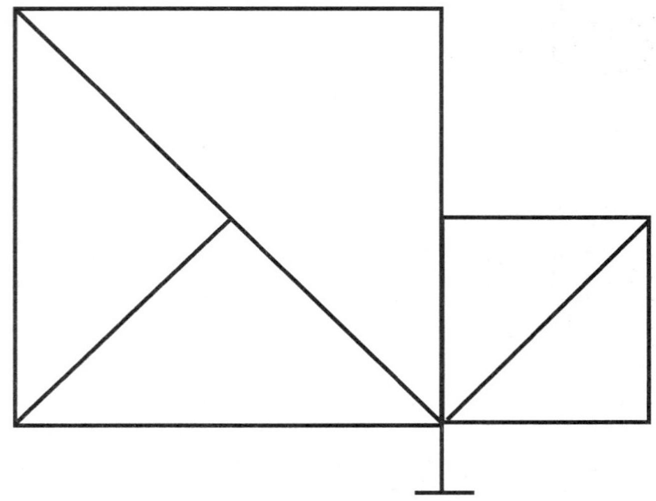

위쪽 그림을 아래 빈 공간에 똑같이 그려 보세요.
최대한 비슷하게 그릴 수 있도록 노력해 보세요.

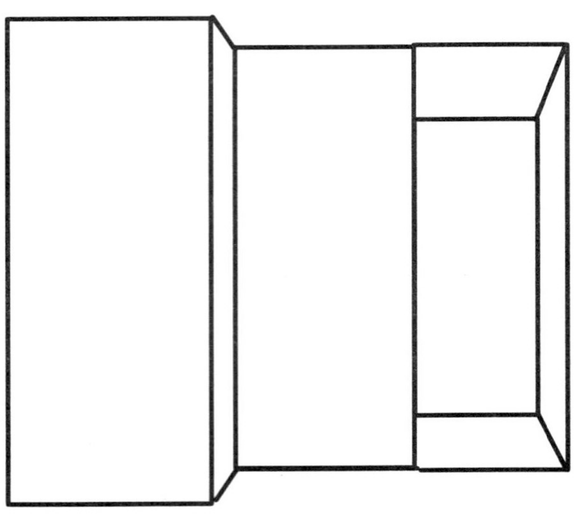

영자씨가 시장을 보러갑니다. 냉장고 1개, 냄비 1개, 컵 1개, 게 한마리를 사면 얼마일까요?
칼 한 개, 냄비 한 개, 접시 한 개, 손목시계 1개를 구입하고 2만원을 내면 얼마를 돌려 받아야하나요?

	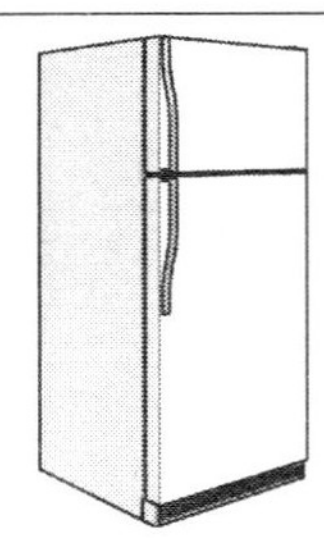		
500원	24만원	3,000원	15,000

2,000원	3만원	10,000원	3,000원

정답) 245500원, 1500원

인지훈련 프로그램

_______년 _____월 _____일

왼쪽에 '가, 나, 다, 라' 와 연결된 선을 차례대로 따라가 보면, 글자를 만나게 됩니다.
어떤 단어가 완성되는지 한번 맞춰보세요.

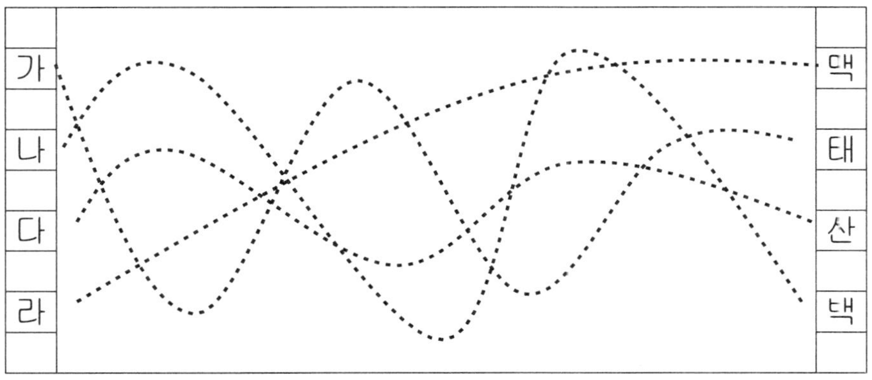

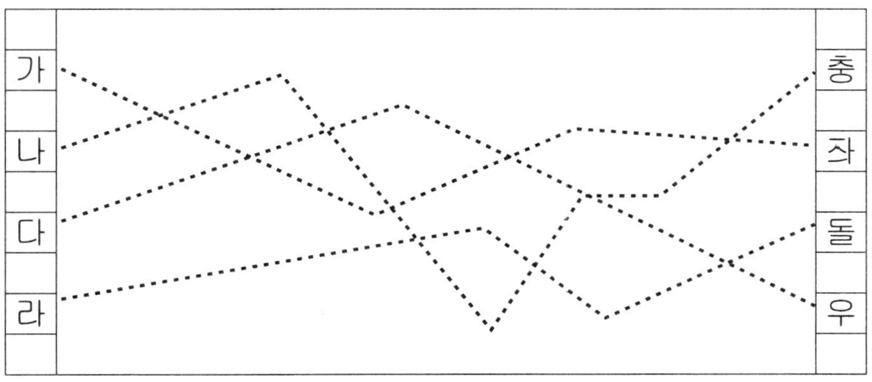

정답) 태백산맥, 좌충우돌

다음 겹쳐진 글자가 있습니다. 서로 맞는 글자에 줄을 그어보세요.

치마 •	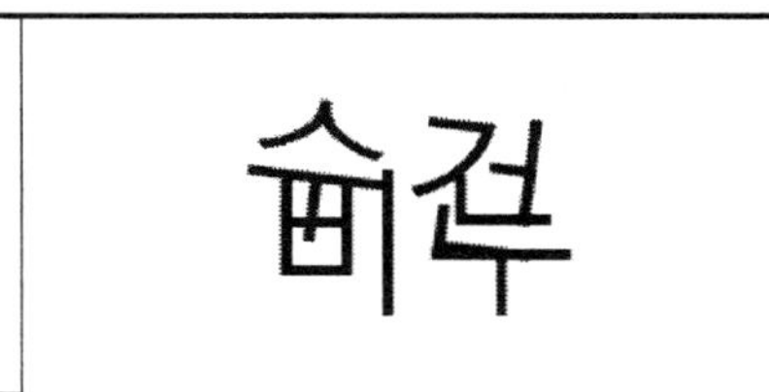	• 수건
비누 •		• 줄자
자동차 •		• 휠체어
청진기 •		• 휴대폰
헤드폰 •	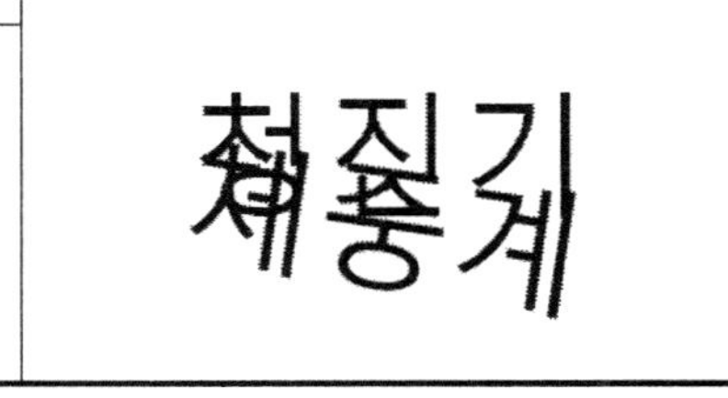	• 체중계

같은 모양의 무늬가 나열되어 있습니다. 지워진 부분이 옆의 무늬와 같아지도록 채워 넣으세요.

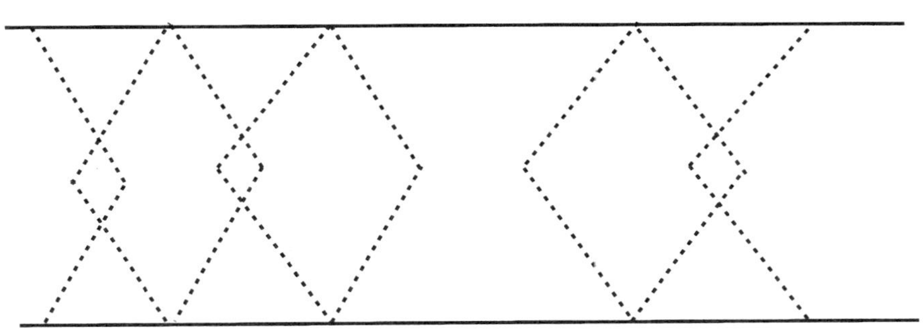

점선을 따라 그려보세요.

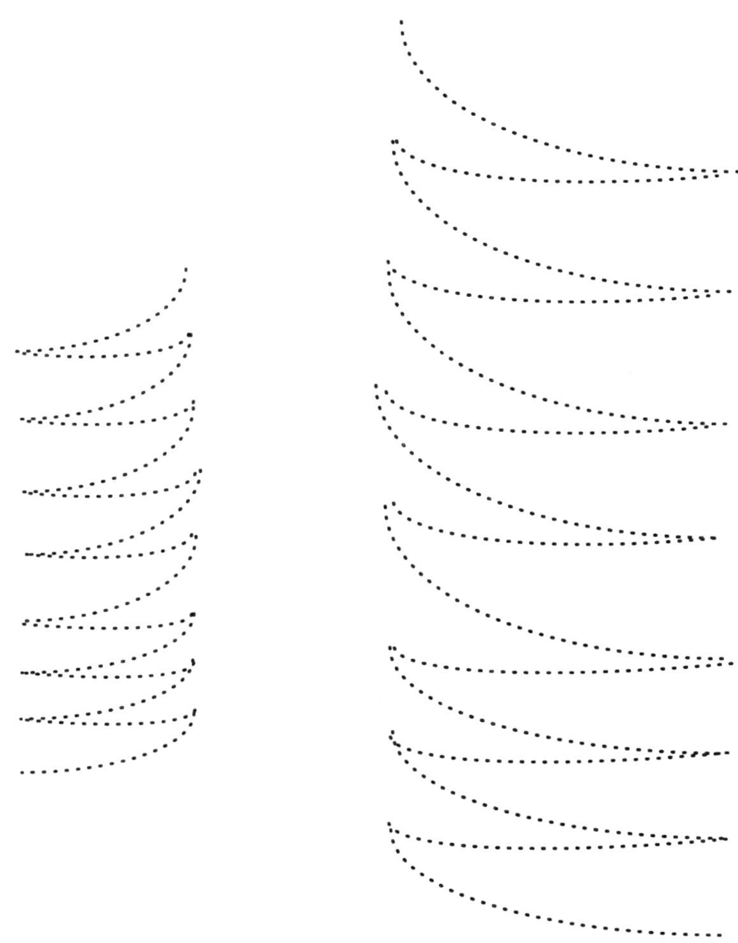

다음의 그림을 잘 보시고 빈 공간에 똑같이 그려보세요.

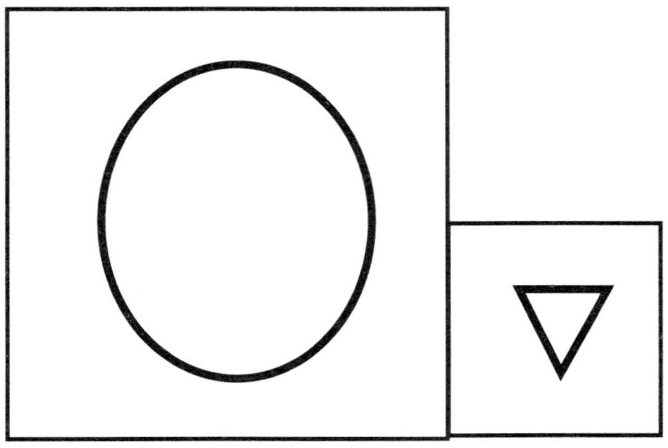

영구씨는 식당을 운영하고 있습니다. 손님이 가져온 영수증을 계산하여 돈을 받아야겠습니다. 얼마일까요? 5만원짜리 지폐를 받으면 얼마를 돌려 드려야 하나요?

No.	영수증		귀하
공급자	영업자 등록번호	617-00-00000	
	상호		
	영업장 주소	서울 중구 000	
	업태	서비스, 식당	
작성일자	금액		비고
20 . .	₩		
위 금액을 정히 영수(청구)함			
품 목	수 량	단가	금 액
비빔밥	2	3000	
온국수	1	2000	
김치찌게	1	3500	
소주	1	1500	
공기밥	2	1000	
		₩	

정답) 15,000원, 35,000원

위쪽 그림을 아래 빈 공간에 똑같이 그려 보세요.
최대한 비슷하게 그릴 수 있도록 노력해 보세요.

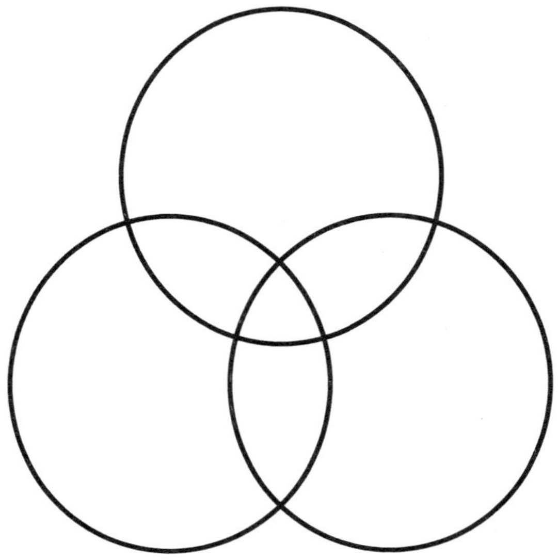

친구 생일 선물을 사기 위해 상점에 갑니다. 가는 길에 친구의 생일은 1946년 3월 21일인데 길에 날짜가 쓰여 있네요. 상점까지 줄을 그으며 가 봅시다.
(주의! 벽에 선이 닿지 않도록 하세요.)

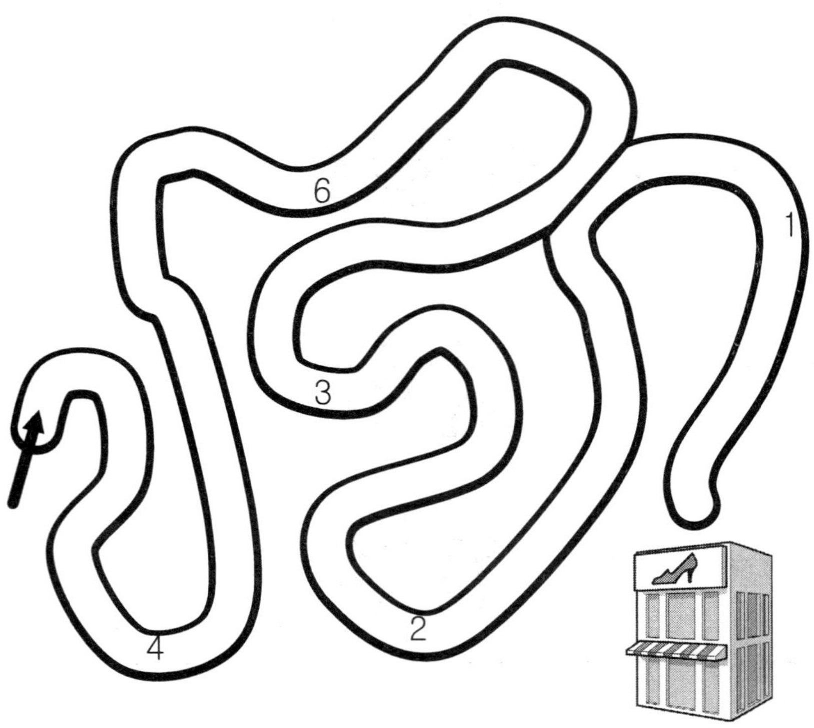

친구의 생일의 날짜는? 년 월 일

정답) 1946년 3월 21일

인지훈련 프로그램

_____년 _____월 _____일

다음 겹쳐진 글자가 있습니다. 서로 맞는 글자에 줄을 그어보세요.

양말 •	대패 / 저울	• 대패
저울 •	양말 / 치약	• 치약
목장갑 •	슬리퍼 / 운동화	• 옷걸이
손전등 •	옷걸이 / 목장갑	• 슬리퍼
운동화 •	손전등 / 라이터	• 라이터

두 선 안에 동그라미가 그려져 있습니다. 두 동그라미 사이에 같은 크기의 동그라미를 그려보세요. 단, 서로 겹치지 않고 공간을 최대한 꽉 채우도록 노력해보세요.

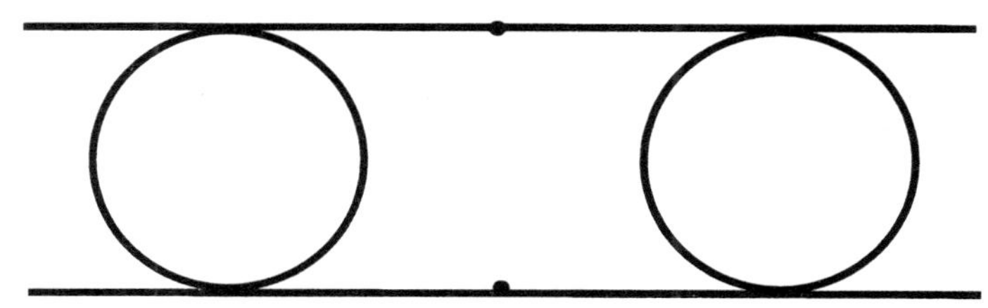

다음 그림을 보고 어떤 속담을 표현한 것인지 말해보세요.

1.

2.

다음의 그림을 잘 보시고 빈 공간에 똑같이 그려보세요.

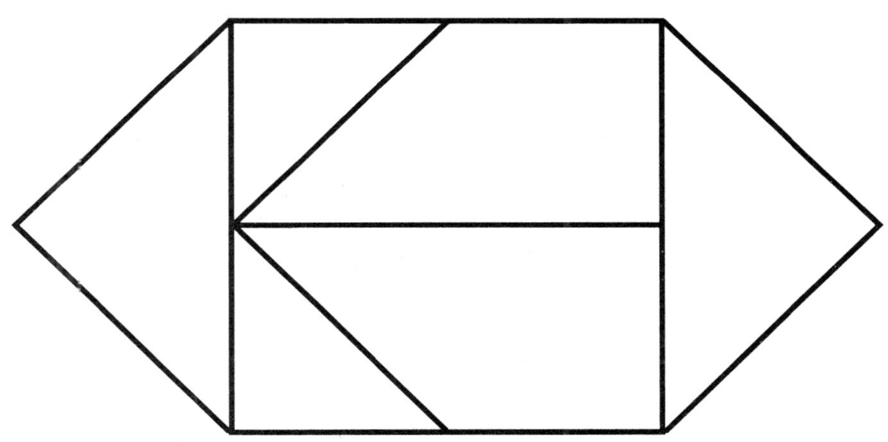

정답) 1. 냉수 먹고 이 쑤시기 / 2. 불난 집에 부채질하기

위쪽 그림을 아래 빈 공간에 똑같이 그려 보세요.
최대한 비슷하게 그릴 수 있도록 노력해 보세요.

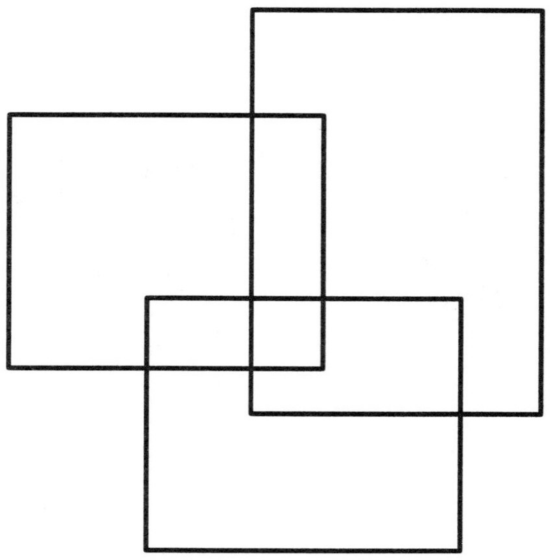

직장을 그만두고 그동안 모은 돈으로 포장마차를 꾸린 영구씨..그의 최고 목표는 영구식품회사를 차리는 것입니다. 요리 솜씨 하나는 끝내주는 영구씨...비장의 솜씨로 포장마차에서 식품회사까지 거듭날 수 있을까요? 오늘도 다양한 손님들을 상대로 그들의 주문을 받느라 무던히도 노력하는데...

차 림 표					
식사류				간식류	
우동	2,000원	꼬치구이	4,000원	토스트	2,000원
라면	1,500원	짬뽕	2,800원	호빵	500원
어묵	2,500원	김밥	2,000원	붕어빵	1,000원
자장면	3,500원	치킨	5,500원	피자	3,000원
기 타		음 료			
김치	500원	콜라	650원	쥬스	850원
샐러드	600원	우유	1,000원	커피	1,000원
장바구니 1,000원					

1. 한 손님이 포장마차에서 우동, 김밥, 콜라를 먹고 붕어빵 2개를 포장(장바구니에 담아)한다면 얼마인가요?

2. 한 손님이 라면과 김치 1개, 커피 1개를 먹고, 붕어빵 2개와 콜라 1개를 포장(장바구니에 담아)하고 만원을 낸다면 얼마를 돌려받아야 하나요?

정답) 1. 7,650원 2. 3,350원

새로 이사한 아파트의 출입문 비밀 번호가 길에 날짜가 쓰여 있네요. 아파트까지 줄을 그으며 가 봅시다.(주의! 벽에 선이 닿지 않도록 하세요.)

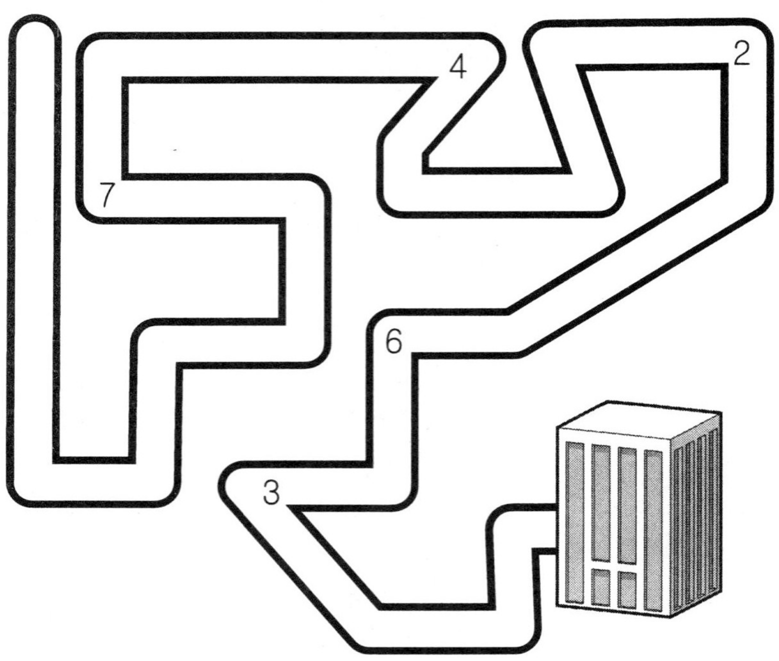

현관 비밀번호는?

정답) 7, 4, 2, 6, 3

왼쪽에 가, 나, 다, 라 와 연결된 선을 차례대로 따라가 보면, 글자를 만나게 됩니다.
어떤 단어가 완성되는지 한번 맞춰보세요.

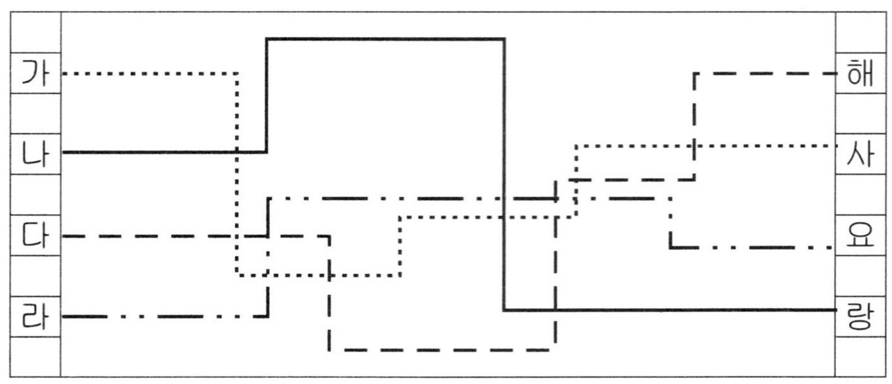

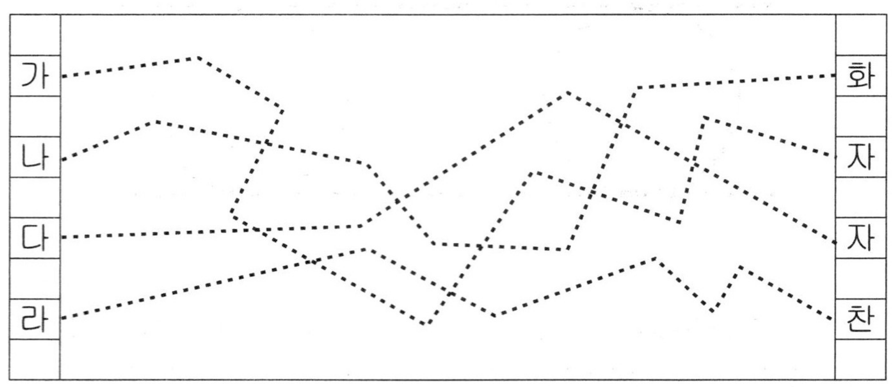

정답) 사랑해요, 자화자찬

인지훈련 프로그램

_______년 _____월 _____일

두 선 안에 세모가 그려져 있습니다. 가운데 빠진 부분을 채워 같은 크기의 세모를 완성해보세요.

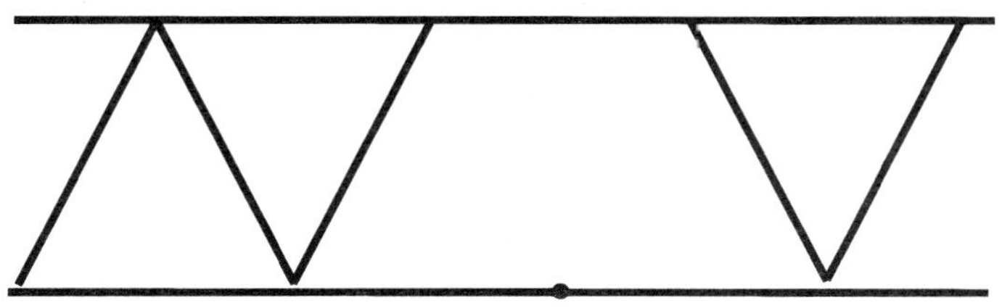

다음 그림을 보고 어떤 속담을 표현한 것인지, 또 그 속담의 뜻은 무엇인지 말해보세요.

1.

2.

3.

정답) 1. 입이 열 개라도 할 말이 없다　2. 병 주고 약 주고　3. 갈수록 태산

다음의 그림을 잘 보시고 빈 공간에 똑같이 그려보세요.

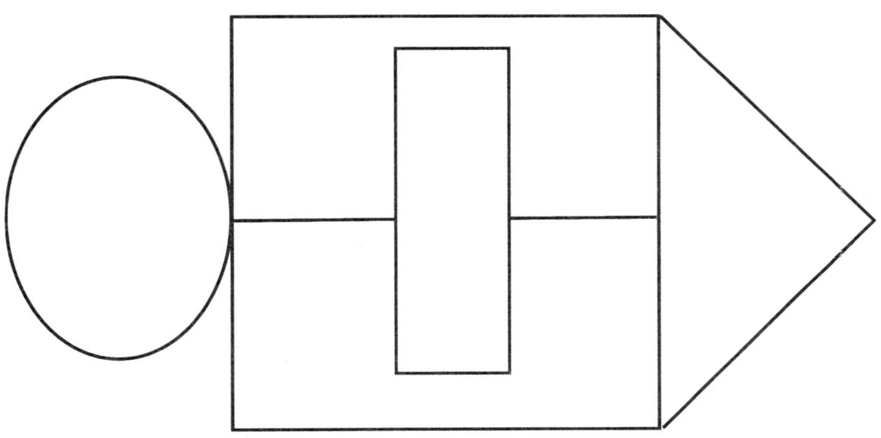

위쪽 그림을 아래 빈 공간에 똑같이 그려 보세요.
최대한 비슷하게 그릴 수 있도록 노력해 보세요.

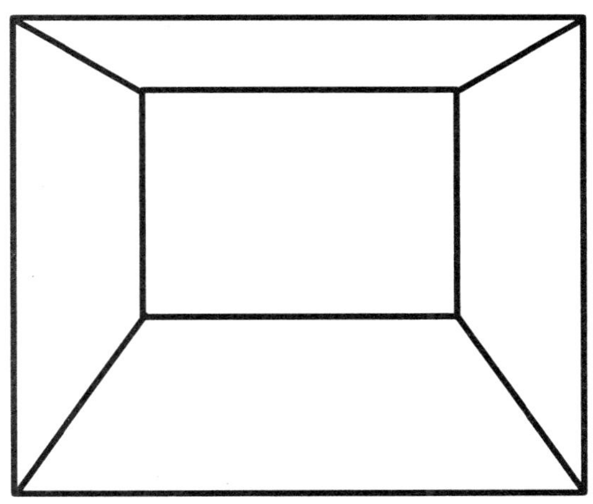

직장을 그만두고 그동안 모은 돈으로 포장마차를 꾸린 영구씨..그의 최고 목표는 영구식품회사를 차리는 것입니다. 요리 솜씨 하나는 끝내주는 영구씨...비장의 솜씨로 포장마차에서 식품회사까지 거듭날 수 있을까요? 오늘도 다양한 손님들을 상대로 그들의 주문을 받느라 무던히도 노력하는데...

차 림 표					
식사류				간식류	
우동	2,000원	꼬치구이	4,000원	토스트	2,000원
라면	1,500원	짬뽕	2,800원	호빵	500원
어묵	2,500원	김밥	2,000원	붕어빵	1,000원
자장면	3,500원	치킨	5,500원	피자	3,000원
기 타		음 료			
김치	500원	콜라	650원	쥬스	850원
샐러드	600원	우유	1,000원	커피	1,000원
장바구니 1,000원					

1. 한 손님이 포장마차에서 호빵 2개와 피자를 먹고 붕어빵 2개를 포장(장바구니에 담아)하고 5,000원을 냈다면 얼마를 더 받아야 하나요?

2. 한 손님이 김밥과 치킨을 포장하고 그 자리에서 커피와 토스트를 먹고는 15,000원을 내면 얼마를 거슬러 줘야 하나요?

정답) 1. 2,000원　2. 3,500원

기차에도 번호가 있습니다. 서울역에서 출발하는 부산행 기차 번호가 길에 쓰여 있네요. 줄을 그으며 가 봅시다.
(주의! 벽에 선이 닿지 않도록 하세요.)

기차의 번호는?

정답) 타, 1, 3, 6, 2

왼쪽에 1, 2, 3, 4와 연결된 선을 차례대로 따라가 보면, 글자를 만나게 됩니다.
어떤 단어가 완성되는지 한번 맞춰보세요.

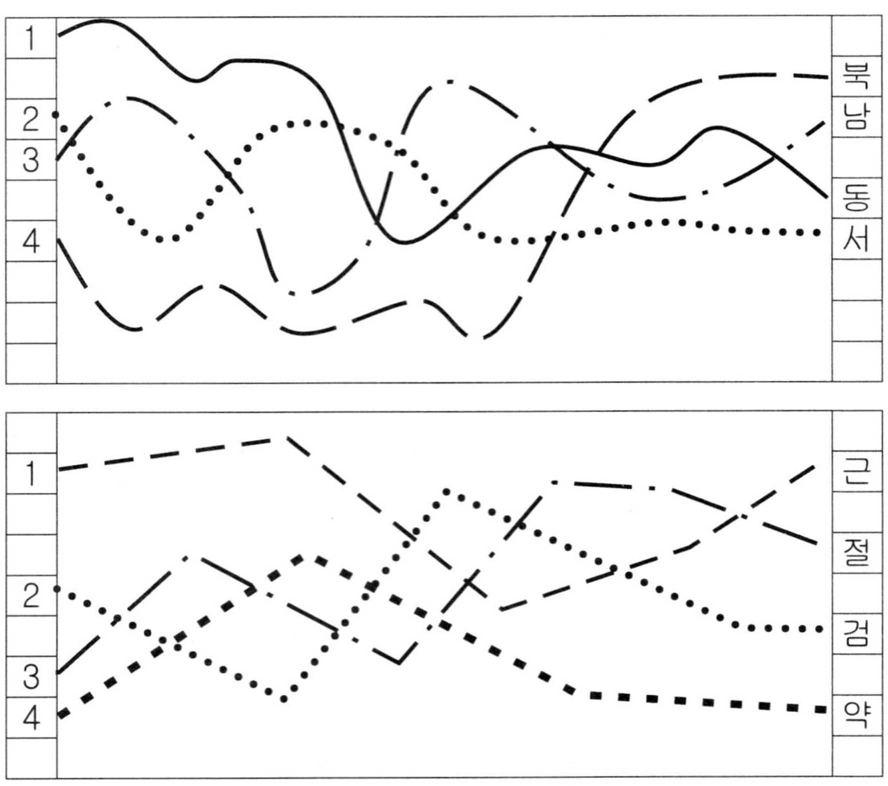

정답) 동서남북, 근검절약

다음 겹쳐진 글자가 있습니다. 서로 맞는 글자에 줄을 그어보세요.

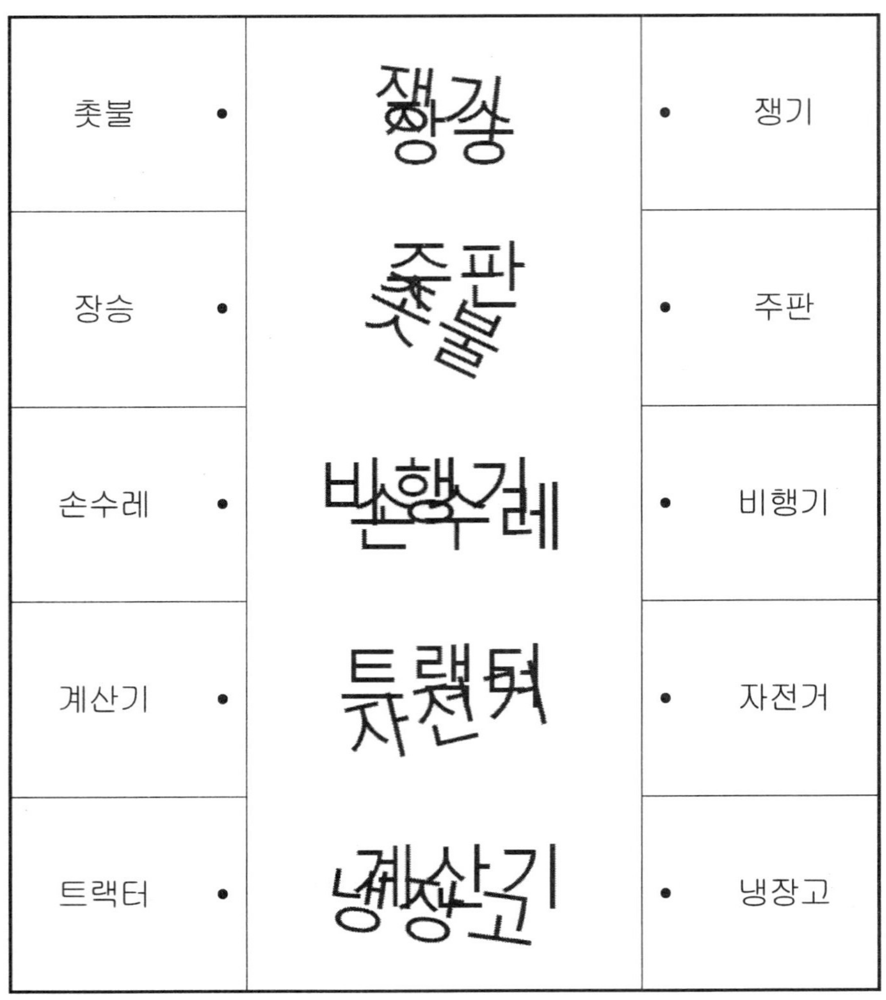

인지훈련 프로그램

_______년 _____월 _____일

위의 글자와 연결된 선을 차례대로 따라가 보면, 어떤 단어가 완성되는지 한번 맞춰 보세요.

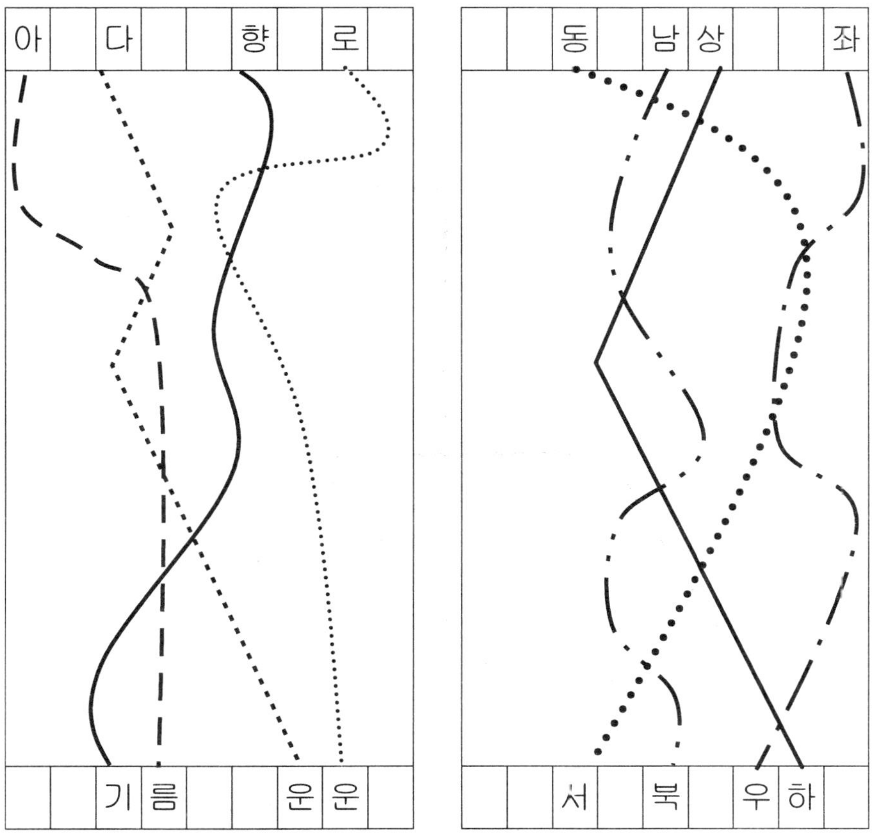

정답) 아름다운, 향기로운 / 동서남북, 상하좌우

신혼살림을 위해 식기와 주방용품을 살 예정입니다. 사야 될 목록을 그림으로 그렸습니다. 줄을 그으며 가 봅시다. (주의! 벽에 선이 닿지 않도록 하세요.)

무엇을 사야 하나요?

정답) 식칼, 국자, 숟가락, 젓가락, 포크

같은 모양의 무늬가 나열되어 있습니다. 지워진 부분이 옆의 무늬와 같아지도록 채워 넣으세요.

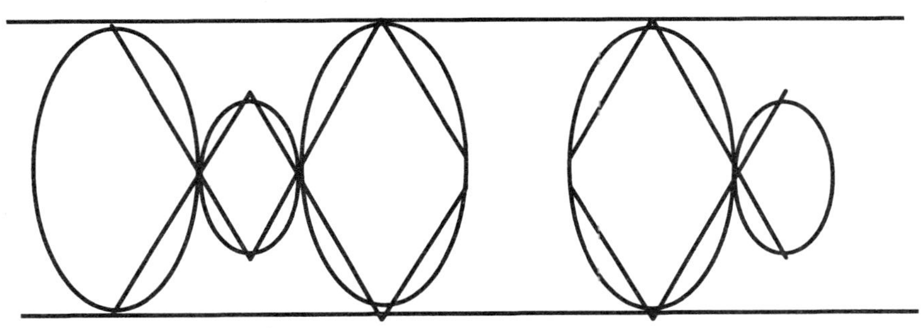

다음 겹쳐진 글자가 있습니다. 서로 맞는 글자에 줄을 그어보세요.

물통 •		• 신문
얼음 •		• 맷돌
다리미 •		• 믹서기
사다리 •		• 지프차
유모차 •		• 주사기

다음 그림을 보고 어떤 속담을 표현한 것인지, 또 그 속담의 뜻은 무엇인지 말해보세요.

1.

2.

3.

정답) 1. 내 코가 석자, 2. 소똥도 약에 쓰려면 없다, 3. 개밥의 도토리.

다음의 그림을 잘 보시고 빈 공간에 똑같이 그려보세요.

왼쪽 그림을 오른쪽 빈 공간에 똑같이 그려 보세요.
최대한 비슷하게 그릴 수 있도록 노력해 보세요.

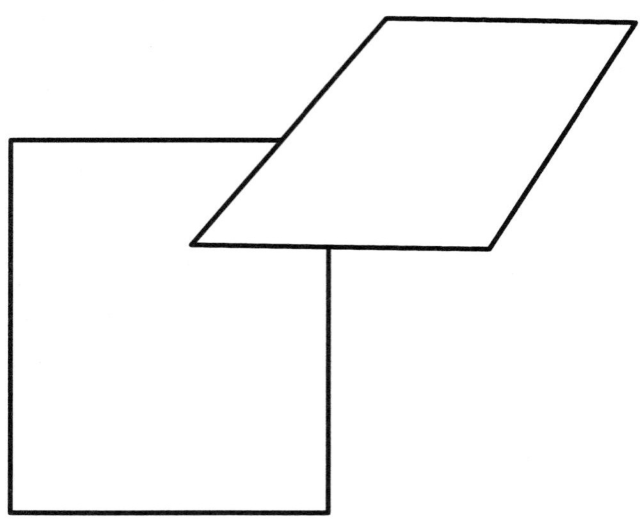

수업시간이 끝나고 10분간 주어지는 쉬는 시간...학생들은 매점으로 몰려들어 자기가 원하는 여러 종류의 햄버거를 주문합니다. 메뉴를 이용해 학생이 원하는 햄버거를 만들어주어야 하는데요..
참! 햄버거를 만들려면 빵 2개는 꼭 있어야 하고 돈도 정확하게 받아야 하겠죠?

생생 햄버거			
빵	1,000원	양배추	2,000원
치즈	1,500원	감자	2,800원
불고기 매운맛	2,500원	양파	2,000원
불고기 순한맛	2,500원	토마토	2,500원
새우	3,000원	콜라	650원
샐러드	600원	우유	1,000원

1. 한 학생이 양파 토마토 치즈 매운 불고기버거와 콜라를 주문하고 20,000원을 내면 얼마를 돌려주어야 하나요?

2. 한 학생이 새우 치즈 버거 2개와 콜라 2잔을 주문하고 15,000원을 내면 얼마를 돌려주어야 하나요?

정답) 1. 8,850원 / 2. 700원

인지훈련 프로그램

________년 _____월 _____일

다음의 그림카드를 두 번 크게 소리 내어 읽어 보세요.

후라이팬	냄비
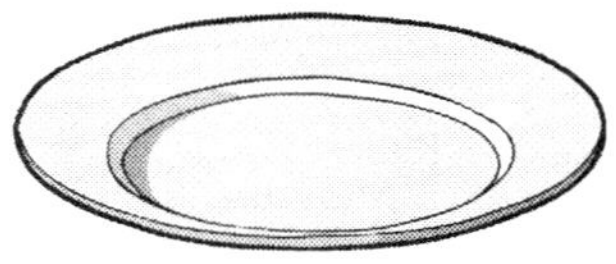	
접시	칼
	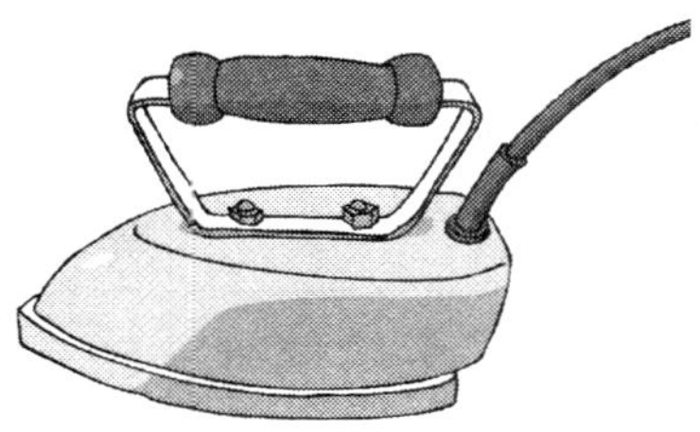
컵	다리미

자, 이제 책을 덮고 어떤 그림들이 있었는지 소리내어 말해 볼까요? 총 6개 그림입니다.

아래 그림들 중에서 공통적인 것들끼리 4가지로 묶어보세요. 왜 그런지 이유도 말해보세요.

정답) 악기 : 바이올린, 피아노, 북, 장구 / 의류 : 치마, 바지, 모자, 양말
꽃 : 장미, 해바라기, 나팔꽃, 난초 / 채소 : 배추, 고추, 당근, 버섯

다음 그림을 보고 어떤 속담을 표현한 것인지, 또 그 속담의 뜻은 무엇인지 말해보세요.

1.

2.

3.

정답) 1. 누워서 떡 먹기, 2. 도토리 키 재기, 3. 개구리 올챙이적 생각 못한다.

다음의 낱자를 선을 기점으로 서로 대칭이 되도록 맞은편에 그려보세요.

ㅅ

B

ㅋ

아

날짜와 요일이 뒤죽박죽인 달력입니다.

2013년 1월

월	화	수	목	금	토	일
	7	19	15	2	24	13
30	1	10	6	23	11	25
14	8	22	26	16	4	17
21	20	3	9	12	27	28
5	29	18	31			

1. 화요일의 날짜를 모두 합산하면 얼마일까요?

2. 일요일의 날짜를 모두 더하면 얼마일까요?

3. 셋째 주의 날을 모두 더하면 얼마일까요?

4. 100에서 마지막 주의 날짜를 모두 합산한 수를 빼면 얼마일까요?

정답) 1. 65 / 2. 83 / 3. 107 / 4. 17

수업시간이 끝나고 10분간 주어지는 쉬는 시간...학생들은 매점으로 몰려들어 자기가 원하는 여러 종류의 햄버거를 주문합니다. 메뉴를 이용해 학생이 원하는 햄버거를 만들어주어야 하는데요..
참! 햄버거를 만들려면 빵 2개는 꼭 있어야 하고 돈도 정확하게 받아야 하겠죠?

생생 햄버거			
빵	1,000원	양배추	2,000원
치즈	1,500원	감자	2,800원
불고기 매운맛	2,500원	양파	2,000원
불고기 순한맛	2,500원	토마토	2,500원
새우	3,000원	콜라	650원
샐러드	600원	우유	1,000원

1. 한 학생이 양배추 2개를 넣은 매운 불고기버거와 콜라 2개를 주문하고 10,000원을 내면 얼마를 돌려주어야 하나요?

2. 한 학생이 샐러드 1개와 토마토 더블치즈 버거 2개와 우유 2잔을 주문하고 20,000원을 내면 얼마를 돌려주어야 하나요?

정답) 1. 200원 2. 2,400원

1번에서 9번까지 각 도형에 숫자가 정해져 있습니다.
각 숫자에 어떤 도형이 연결되어 있는지 잘 보고 각 도형에 알맞은 숫자를 적어보세요.

▲	▽	◀	◇	△	●	◆	○	□
1	2	3	4	5	6	7	8	9

◇	▽	●	○	▲	□	◀	△	◆	◇

◀	◆	▽	○	△	◇	▲	●	□	▽

정답) 3, 7, 2, 8, 5 / 4, 1, 6, 9, 2.

위쪽에 글자와 연결된 선을 차례대로 따라가 보면, 어떤 단어가 완성되는지 한번 맞춰 보세요.

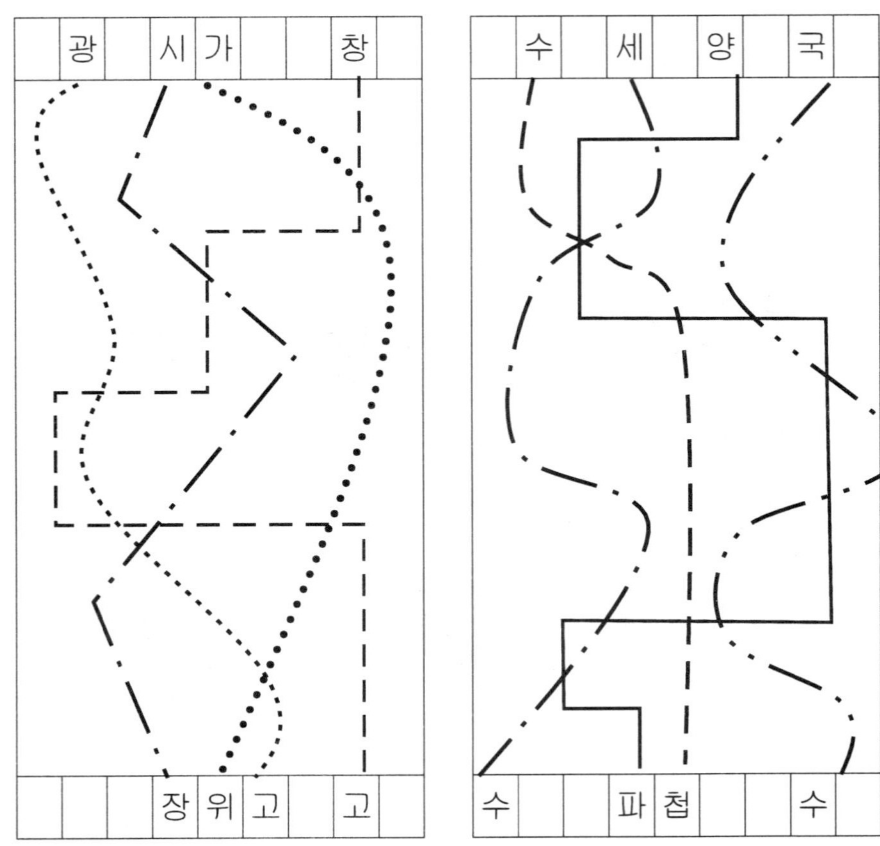

정답) 광고, 시장, 가위, 창고, 국물, 수첩, 세수, 양파, 국수

인지훈련 프로그램

________년 ______월 ______일

아래 그림들 중에서 공통점이 적은 것을 이야기해 보세요. 왜 그런지 이유도 말해보세요.

정답) 자동차 // 농촌에서 주로 볼 수 있는 우리의 옛 것

다음 그림을 보고 어떤 속담을 표현한 것인지, 또 그 속담의 뜻은 무엇인지 말해보세요.

1.

2.

3.

정답) 1. 주머니 털어 먼지 안 나오는 사람 없다 / 2. 새 발의 피
3. 낮말은 새가 듣고 밤말은 쥐가 듣는다.

얼굴이 반쪽만 그려져 있습니다. 선을 기점으로 나머지 반을 그려보세요.

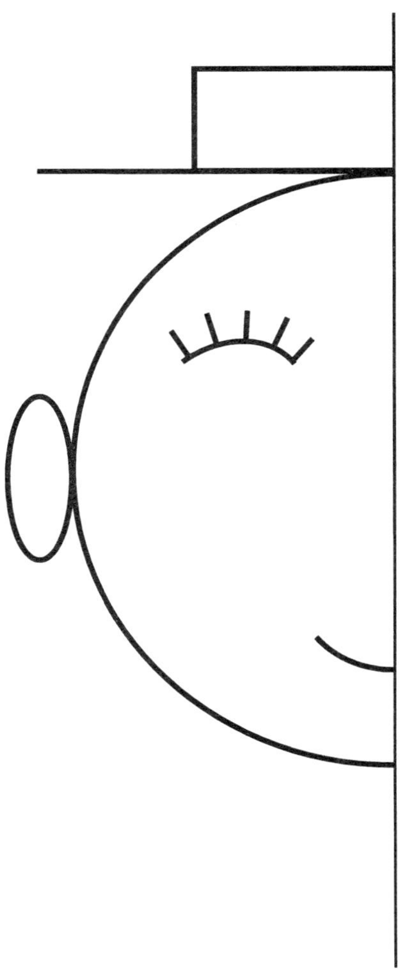

날짜와 요일이 뒤죽박죽인 달력입니다.

2013년 1월

월	화	수	목	금	토	일
	7	19	15	2	24	13
30	1	10	6	23	11	25
14	8	22	26	16	4	17
21	20	3	9	12	27	28
5	29	18	31			

1. 화요일의 날짜를 모두 합산하면 얼마일까요?

2. 둘째 주의 날을 모두 더하면?

정답) 1. 65 / 2. 106

다음 단어로 끝말잇기를 하세요.

1. 사자 → ___ ___ → ___ ___ → ___ ___

2. 개미 → ___ ___ → ___ ___ → ___ ___

3. 구두 → ___ ___ → ___ ___ → ___ ___

4. 하마 → ___ ___ → ___ ___ → ___ ___

5. 나비 → ___ ___ → ___ ___ → ___ ___

1번에서 7번까지 각 도형에 숫자가 정해져 있습니다. 각 숫자에 어떤 도형이 연결되어 있는지 잘 보고 각 도형에 알맞은 숫자를 적어보세요.

▤	▥	▨	▧	▦	▩	▒
1	2	3	4	5	6	7

▨	▩	▤	▒	▧	▥	▦

▒	▦	▧	▤	▩	▥	▨

정답) 첫 번째 줄 3, 6, 1, 7, 4, 2, 5 / 두 번째 줄 7, 5, 4, 1, 6, 2, 3

그림이 여러 조각으로 나뉘어져 있네요. 조각을 모으면 어떤 그림이 될까요?

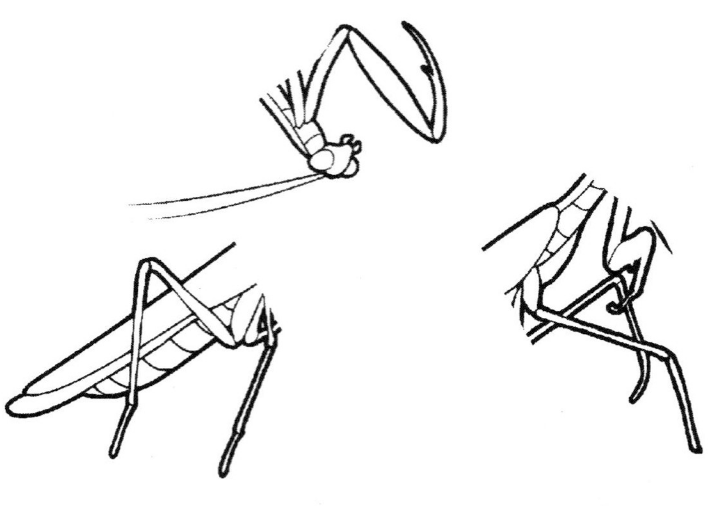

정답) 사마귀

다음의 그림카드를 두 번 크게 소리 내어 읽어 보세요.

	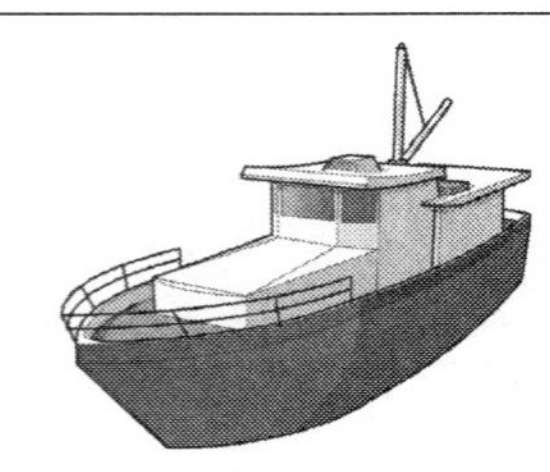
기차	배

자동차	자전거

	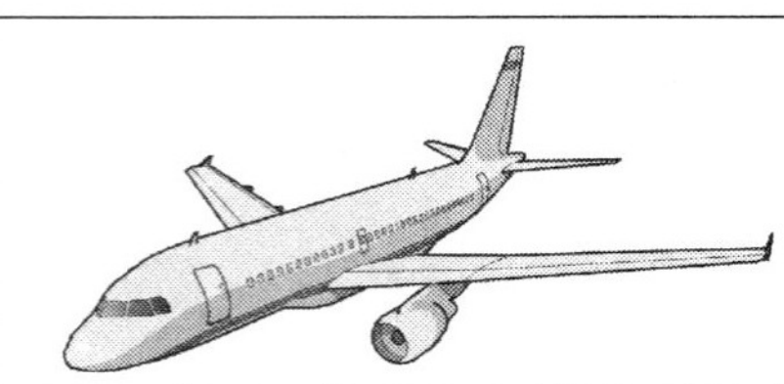
헬리콥터	비행기

자, 이제 책을 덮고 어떤 그림들이 있었는지 소리내어 말해 볼까요? 총 6개 그림입니다.

인지훈련 프로그램

________년 ______월 ______일

1번에서 7번까지 각 도형에 숫자가 정해져 있습니다. 각 숫자에 어떤 도형이 연결되어 있는지 잘 보고 각 도형에 알맞은 숫자를 적어보세요.

§	♭	♩	♪	♬	∮	€
1	2	3	4	5	6	7

♩	♪	∮	€	§	♬	♭

♭	♬	§	♩	∮	♪	€

정답) 첫 번째 줄 3, 4, 6, 7, 1, 5, 2 / 두 번째 줄 2, 5, 1, 3, 6, 4, 7

그림이 여러 조각으로 나뉘어져 있네요. 조각을 모으면 어떤 그림이 될까요?

정답) 사자

다음의 그림카드를 두 번 크게 소리 내어 읽어 보세요.

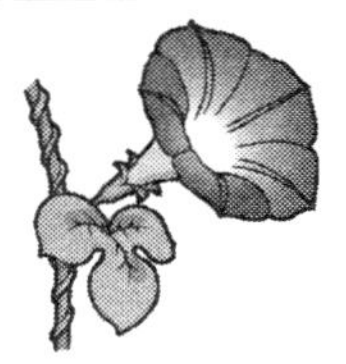	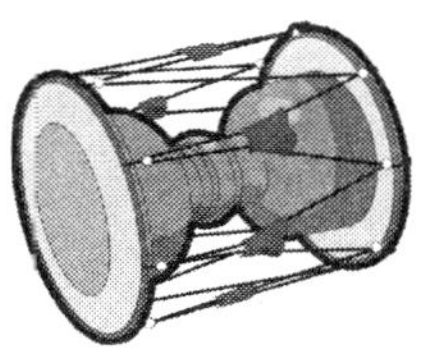
나팔꽃	장구

피리	오징어

비둘기	장미

자, 이제 책을 덮고 어떤 그림들이 있었는지 소리내어 말해 볼까요? 총 6개 그림입니다.

아래 그림들 중에서 공통점이 적은 것을 이야기해 보세요. 왜 그런지 이유도 말해보세요.

정답) 나팔 // 옷하고 연관된 것

사과모양의 미로가 있네요. 출발점에서 시작하여 도착점까지 미로를 잘 통과해 보세요.

산과 달이 그려져 있습니다. 아래에 물에 비친 산과 달의 그림을 그려보세요.

날짜와 요일이 뒤죽박죽인 달력입니다.

2013년 1 월

월	화	수	목	금	토	일
	7	19	15	2	24	13
30	1	10	6	23	11	25
14	8	22	26	16	4	17
21	20	3	9	12	27	28
5	29	18	31			

1. 금요일의 날짜를 모두 합산하면 얼마일까요?

2. 마지막 주의 날을 모두 더한 후, 첫 번째 화요일을 빼면 얼마일까요?

다음 단어로 끝말잇기를 하세요.

1. 염소 → ___ ___ → ___ ___ → ___ ___

2. 낙타 → ___ ___ → ___ ___ → ___ ___

3. 치약 → ___ ___ → ___ ___ → ___ ___

4. 가마 → ___ ___ → ___ ___ → ___ ___

5. 기차 → ___ ___ → ___ ___ → ___ ___

정답) 1. 53 / 2. 76

인지훈련 프로그램

_______년 _____월 _____일

그림이 여러 조각으로 나뉘어져 있네요. 조각을 모으면 어떤 그림이 될까요?

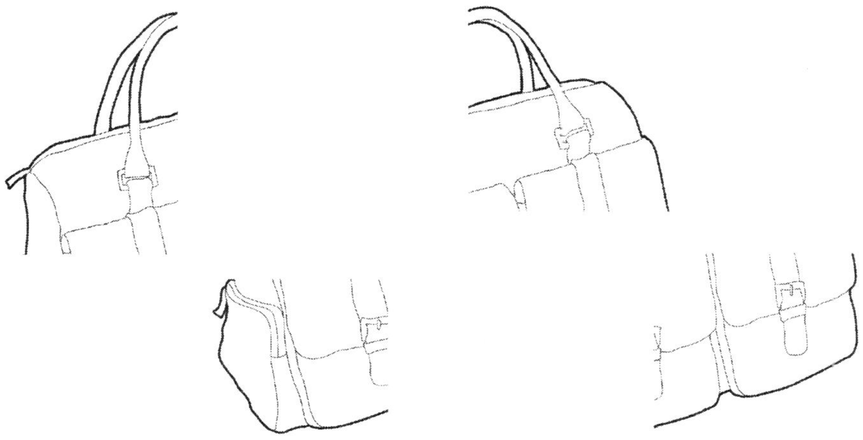

정답) 가방

다음의 그림카드를 두 번 크게 소리 내어 읽어 보세요.

닭	대나무
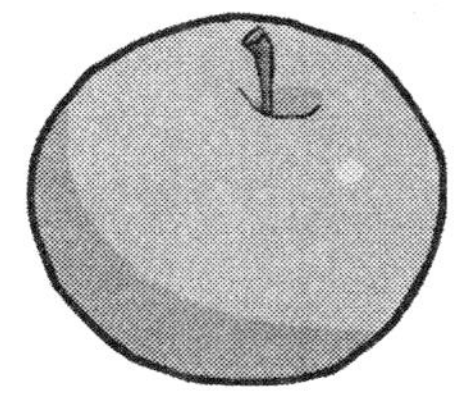	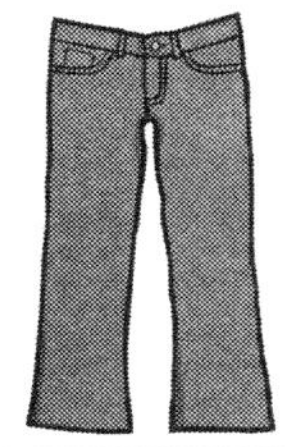
배	바지
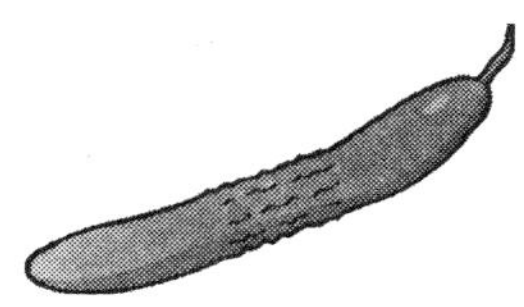	
오이	호박

자, 이제 책을 덮고 어떤 그림들이 있었는지 소리내어 말해 볼까요? 총 6개 그림입니다.

아래 그림들 중에서 공통점이 적은 것을 이야기해 보세요. 왜 그런지 이유도 말해보세요.

정답) 마늘 // 자연과 연관된 것

개미가 땅굴속에 숨겨놓은 잠자리를 먹으러 들어갑니다. 연필르 줄을 그어 개미의 집안으로 들어가 봅시다. 옆줄에 선이 닿지 않도록 조심하면서!

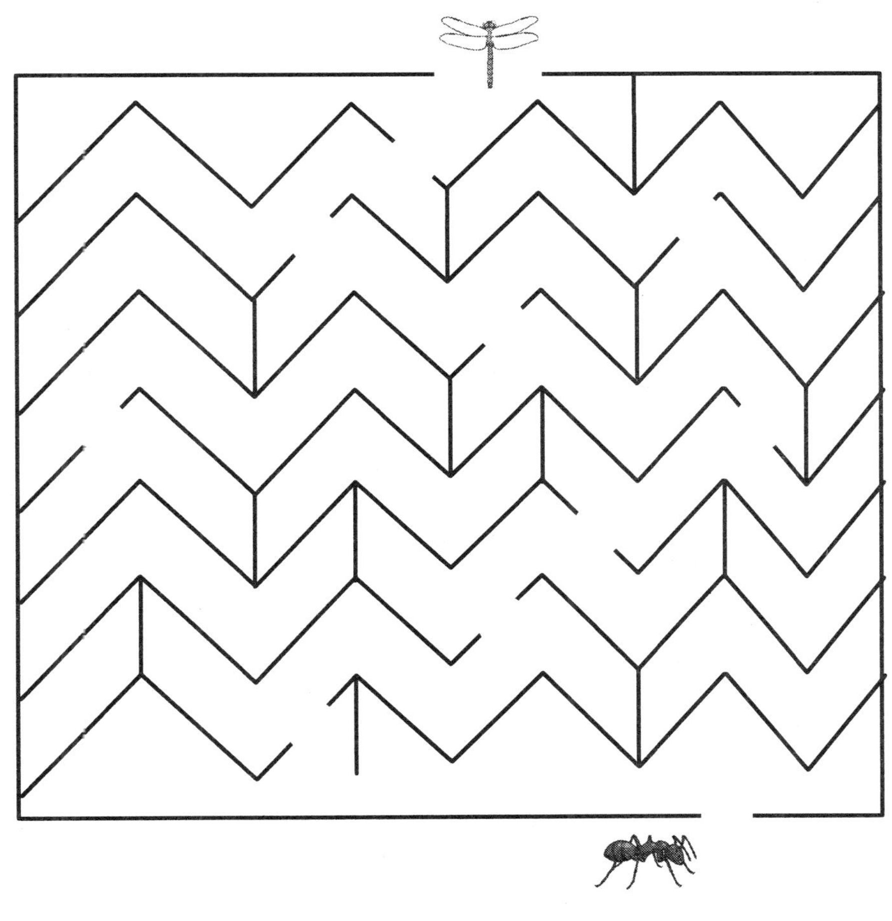

원과 사각형이 그려져 있습니다. 선을 기점으로 나머지 반을 그려보세요.

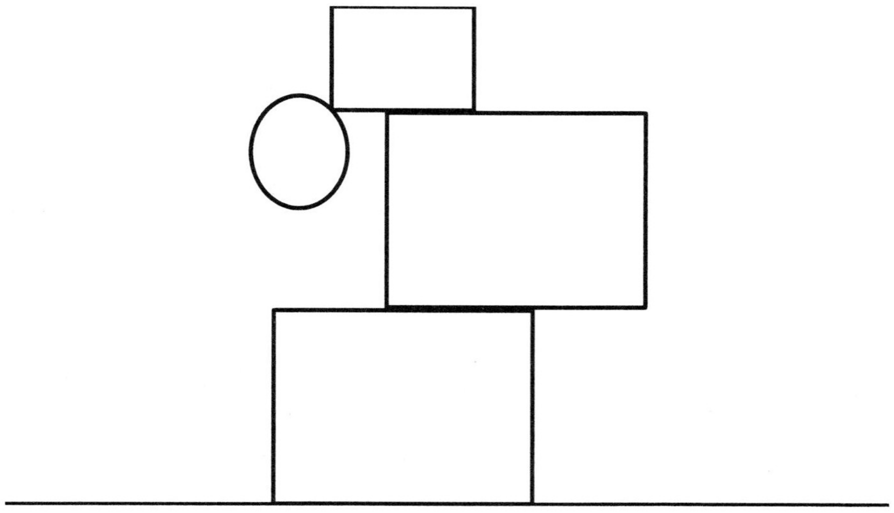

날짜와 요일이 뒤죽박죽인 달력입니다.

2013년 1월

월	화	수	목	금	토	일
	7	19	15	2	24	13
30	1	10	6	23	11	25
14	8	22	26	16	4	17
21	20	3	9	12	27	28
5	29	18	31			

1. 첫째 셋째 수요일과 둘째 넷째 화요일의 날짜를 모두 합산하면 얼마일까요?

2. 100에서 토요일 날짜를 합한 수를 빼면 얼마일까요?

정답) 1. 62 / 2. 34

다음 단어로 끝말잇기를 하세요.

1. 탁자 → ___ ___ → ___ ___ → ___ ___

2. 치마 → ___ ___ → ___ ___ → ___ ___

3. 바지 → ___ ___ → ___ ___ → ___ ___

4. 우물 → ___ ___ → ___ ___ → ___ ___

5. 거미 → ___ ___ → ___ ___ → ___ ___

1번에서 7번까지 각 도형에 숫자가 정해져있습니다.
각 숫자에 어떤 도형이 연결되어 있는지 잘보고 각 도형에 알맞은 숫자를 적어보세요.

🕮	☎	📫	👓	✂	✈	♨
1	2	3	4	5	6	7

♨	👓	✈	✂	☎	🕮	📫

✂	📫	☎	♨	✈	👓	🕮

정답) 첫 번째 줄 7, 4, 6, 5, 2, 1, 3 / 두 번째 줄 5, 3, 2, 7, 6, 4, 1

인지훈련 프로그램

_______년 _____월 _____일

철수는 오늘 그 동안 열심히 모아놓은 돈을 은행에 저금하러 가기로 했어요. 오전 10시에 은행에 도착하였어요. 먼저 번호표를 뽑아요. 철수가 뽑은 번호표에는 12번이라고 적혀있네요. 그리고는 번호가 될 때까지 기다려요. 마침내 철수의 차례가 되었어요. 철수는 은행원에게 그동안 모은 15만원을 저금하였어요.

다음 그림을 보고 위의 이야기에 맞게 순서대로 나열해 보세요.

1.

2.

3.

4.

정답) 3, 1, 2, 4

아래 그림들 중에서 공통점이 적은 것을 이야기해 보세요. 왜 그런지 이유도 말해보세요.

정답) 문고리 // 소지품

원숭이가 땅굴속에 숨겨놓은 바나바를 먹으러 들어갑니다. 연필로 줄을 그어 원숭이의 집안으로 들어가 봅시다. 옆줄에 선이 닿지 않도록 조심하면서!

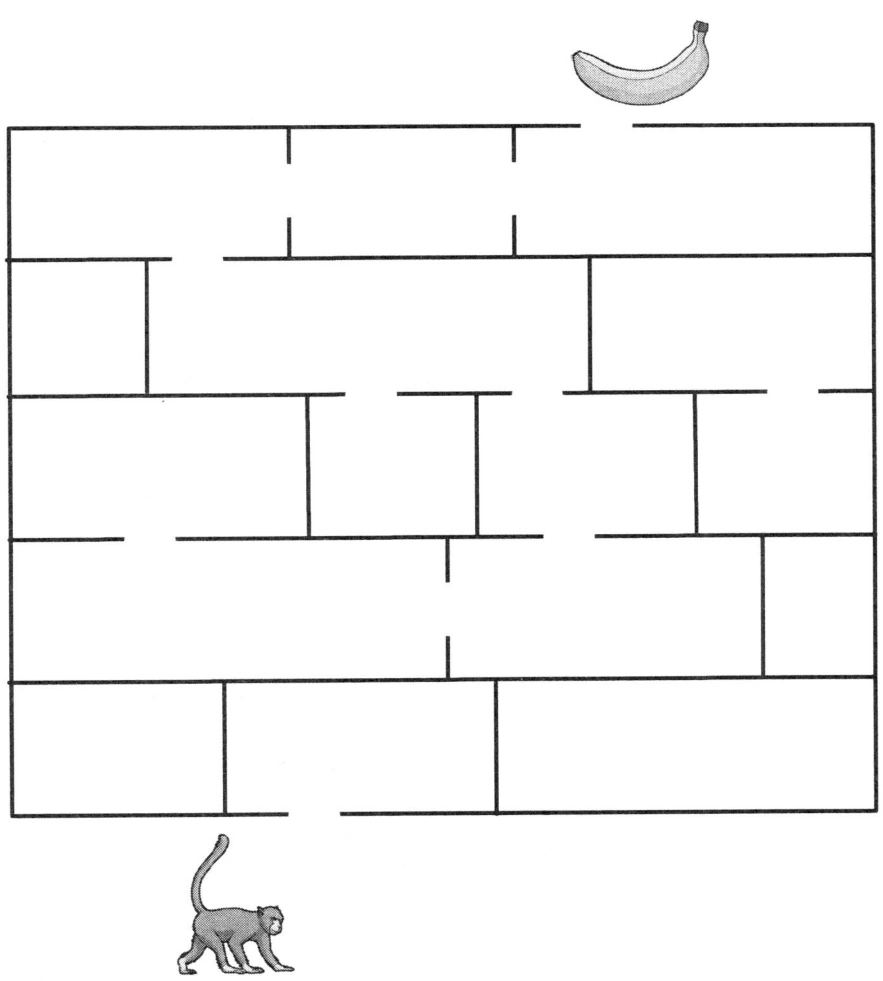

선을 기점으로 나머지 반을 그려보세요.

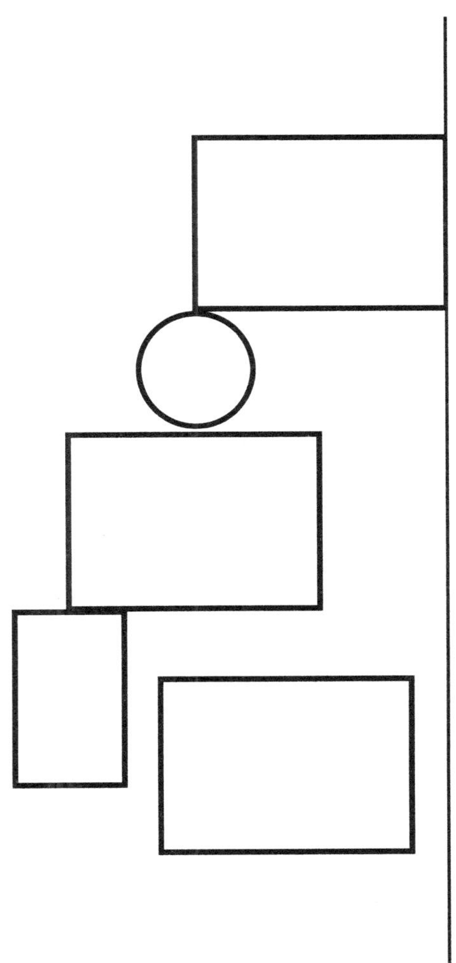

날짜와 요일이 뒤죽박죽인 달력입니다.

2017년 11월

월	화	수	목	금	토	일
			15	2	24	13
30	1	10	6	23	11	25
14	8	22	26	16	4	17
21	7	20	9	12	27	28
5	29	18	31	3	19	

1. 첫째 셋째 금요일과, 둘째 넷째 수요일의 날짜를 모두 합산하면 얼마일까요?

2. 50에서 화요일 날짜를 합한 수를 빼면 얼마일까요?

정답) 1. 58 2. 5

다음 단어로 끝말잇기를 하세요.

1. 줄자 → ___ ___ → ___ ___ → ___ ___

2. 짚신 → ___ ___ → ___ ___ → ___ ___

3. 망치 → ___ ___ → ___ ___ → ___ ___

4. 땅콩 → ___ ___ → ___ ___ → ___ ___

5. 접시 → ___ ___ → ___ ___ → ___ ___

1번에서 7번까지 각 기호에 숫자가 정해져 있습니다. 각 숫자에 어떤 기호이 연결되어 있는지 잘 보고 각 기호에 알맞은 숫자를 적어보세요.

+	−	±	÷	×	=	≤
1	2	3	4	5	6	7

×	≤	±	−	+	=	×

±	÷	−	÷	≤	−	+

정답) 첫 번째 줄 5, 7, 3, 2, 1, 6, 5, 6 / 두 번째 줄 3, 4, 2, 4, 7, 2, 1, 2

그림이 여러 조각으로 나뉘어져 있네요. 조각을 모으면 어떤 그림이 될까요?

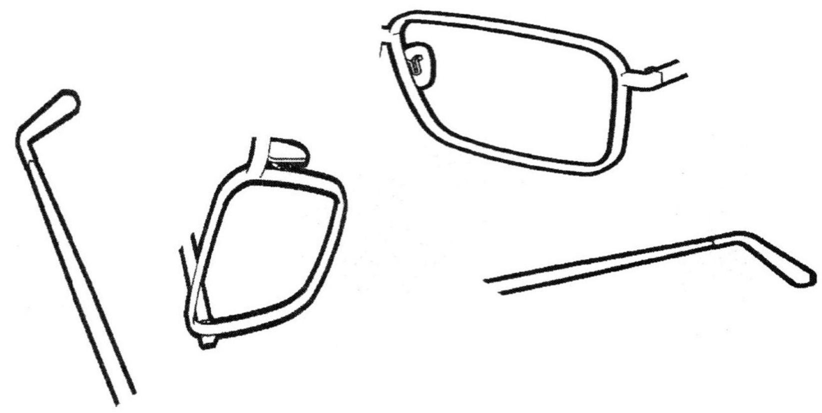

정답) 안경

인지훈련 프로그램

______년 _____월 _____일

스무고개입니다. 가능한 힌트를 보시고 무엇을 설명하는 것인지 맞춰보세요.

1. 다음은 무엇을 설명하는 것일까요?
① 움직입니다. ② 곤충입니다.
③ 아주 작습니다. ④ 두 글자입니다.
⑤ 땅속에 집을 짓고 삽니다.

2. 다음은 무엇을 설명하는 것일까요?
① 동그랗습니다. ② 먹을 수 있습니다.
③ 나무에서 자랍니다. ④ 과일입니다.
⑤ 빨갛습니다.

3. 다음은 무엇을 설명하는 것일까요?
① 딱딱합니다. ② 문이 있습니다.
③ 아래와 위가 있습니다. ④ 안은 차갑습니다.
⑤ 음식을 보관합니다.

4. 다음은 무엇을 설명하는 것일까요?
① 물건입니다. ② 네모입니다.
③ 종류가 다양합니다. ④ 글자가 적혀져 있습니다.
⑤ 서점에서 판매하고 있습니다.

정답) 1. 개미 2. 사과 3. 냉장고 4. 책

원숭이가 땅굴속에 숨겨놓은 바나나를 먹으러 들어갑니다. 연필로 줄을 그어 원숭이의 집안으로 들어가 봅시다. 옆줄에 선이 닿지 않도록 조심하면서!

선을 기점으로 나머지 반을 그려보세요.

사격장에 있는 과녁입니다. 총 다섯 발의 총알을 쏘았는데 몇 점일까요?

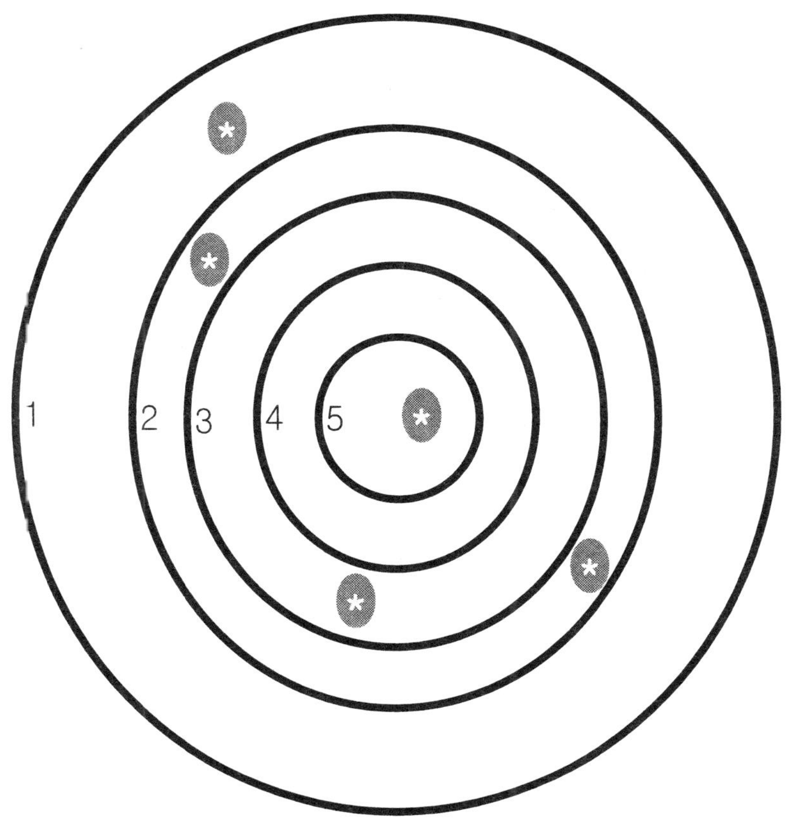

정답) 13점

다음 단어로 끝말잇기를 하세요.

1. 사과 → ___ ___ → ___ ___ → ___ ___

2. 수박 → ___ ___ → ___ ___ → ___ ___

3. 포도 → ___ ___ → ___ ___ → ___ ___

4. 호두 → ___ ___ → ___ ___ → ___ ___

5. 딸기 → ___ ___ → ___ ___ → ___ ___

전신통신에 사용하던 부호입니다. 아래의 문장을 모르스 부호로 바꾸었는데 일부 비어 있는 부분을 채워 보세요.

1.

중			추		절		
·––·		–·–		····		–	···–

2.

춘			3	월			
–·–·	····		···––		····		···–

ㄱ	·–··	ㅋ	–··–	ㅓ	–	1	·––––
ㄴ	··–·	ㅌ	––··	ㅕ	···	2	··–––
ㄷ	–···	ㅍ	–––	ㅗ	·–	3	···––
ㄹ	···–	ㅎ	·–––	ㅛ	–·	4	····–
ㅁ	––			ㅜ	····	5	·····
ㅂ	·––			ㅠ	·–·	6	–····
ㅅ	––·			ㅡ	–··	7	––···
ㅇ	–·–			ㅣ	··–	8	–––··
ㅈ	·––·	ㅏ	·	ㅔ	–·––	9	––––·
ㅊ	–·–·	ㅑ	··	ㅐ	––·–	0	–––––

정답)

중			추		절		
·––·	····	–·–	–·–·	····	·––·	–	···–

춘			3	월			
–·–·	····	··–·	···––	–·–	····	–	···–

그림이 여러 조각으로 나뉘어져 있네요. 조각을 모으면 어떤 그림이 될까요?

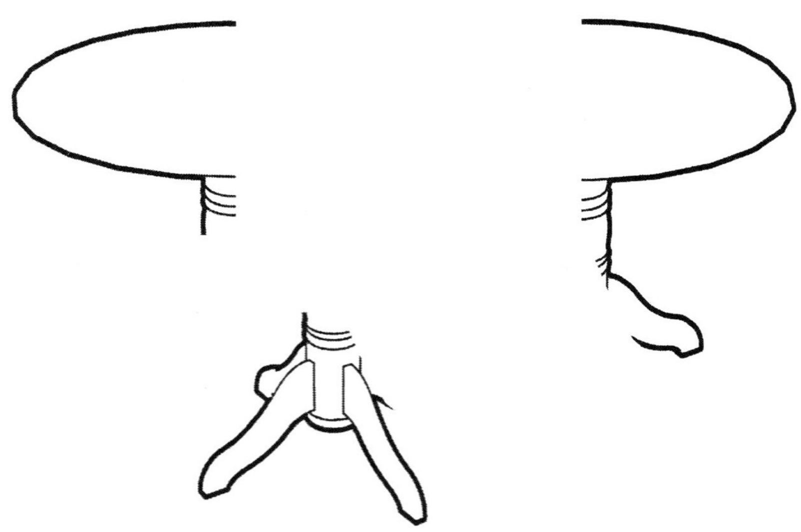

정답) 탁자

속담 빈칸에 공통적으로 들어가야 할 말은 무엇일까요?

1. (　　)난 집에 부채질 한다.
   강 건너 (　　)구경

2. (　　)은 스스로 돕는 자를 돕는다.
   (　　)의 별 따기.
   (　　)이 무너져도 솟아날 구멍이 있다.

3. (　　) 꼬리만 하다.
   (　　) 구멍에도 볕들 날이 있다.
   (　　) 도 새도 모른다.
   (　　) 뿔도 모른다.

정답) 1. 불 / 2. 하늘 / 3. 쥐

인지훈련 프로그램

_______년 _____월 _____일

동그라미는 홀수 순서로(1 → 3 → 5..), 네모는 짝수 순서로(2 → 4 → 6..) 연결해 보세요.

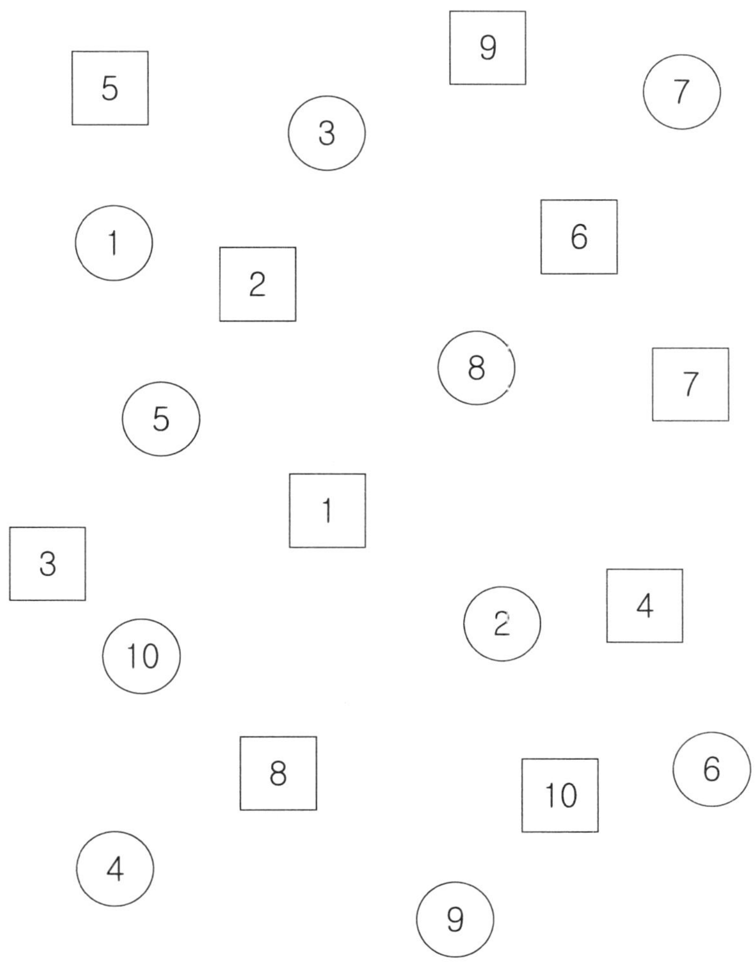

시계가 반으로 갈라져 있습니다. 시계를 합치면 몇 시가 되는지 읽어 보세요.

정답) 12시 23분

다음 일기는 한초롱씨가 치매예방을 의해 쓰는 메모 형식의 일기입니다.
다 읽어 보시고 답을 해 보세요.

> **12/22 토요일 흐림**
> 10시 – 화분에 물을 주었다.
> 11시 – 손자와 운동장에서 줄넘기를 하였다.
> 오후 1시 – 오랜만에 동창과 백숙으로 점심을 같이 하였다.
> 오후 3시 – 우체국에 들러 책을 부쳤다.
> 오후 9시 – 저녁뉴스에 군대생활을 했던 인제군에 대한 기사가 나왔다.

위의 내용을 덮고 아래의 빈곳을 채워보세요.

> **12/22 토요일 (　　)**
> (　　)시 – 화분에 (　　)을 주었다.
> 11시 – 손자와 운동장에서 줄넘기를 하였다.
> 오후 1시 – 오랜만에 동창과 (　　　)으로 점심을 같이 하였다.
> 오후 3시 – (　　　)에 들러 책을 부쳤다.
> 오후(　　)시 – 저녁뉴스에 군대생활을 했던 인제군에 대한 기사가 나왔다.

정답) 흐림, 10시, 물, 백숙, 우체국, 9시

다음 그림들의 공통점은 무엇일까요?

정답) 여름에 주로 볼 수 있다.

고래가 바다에서 오징어를 잡으려 갑니다. 오징어가 굴속으로 도망갈 수 있도록 연필로 줄을 그어 들어가 봅시다. 옆줄에 선이 닿지 않도록 조심하면서!

선을 기점으로 나머지 반을 그려보세요.

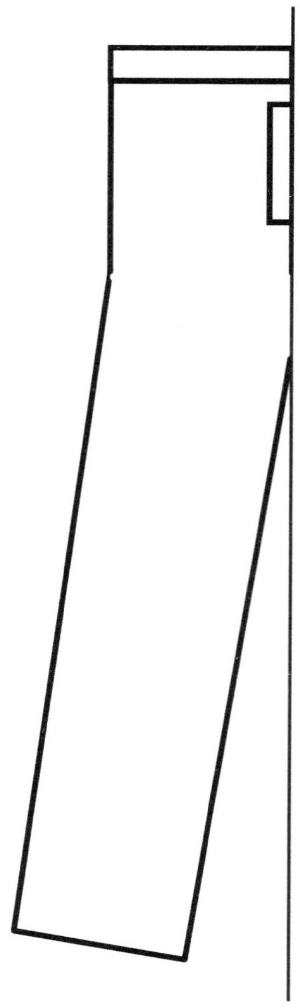

식당의 테이블에 손님이 4명이 앉아 있습니다. 가는 짜장면, 나는 잡채밥, 다는 우동, 라는 탕수육을 주문했습니다. 아래의 음식을 주문한 사람에게 정확히 연결해 보세요. 모두 얼마를 받아야 하나요?

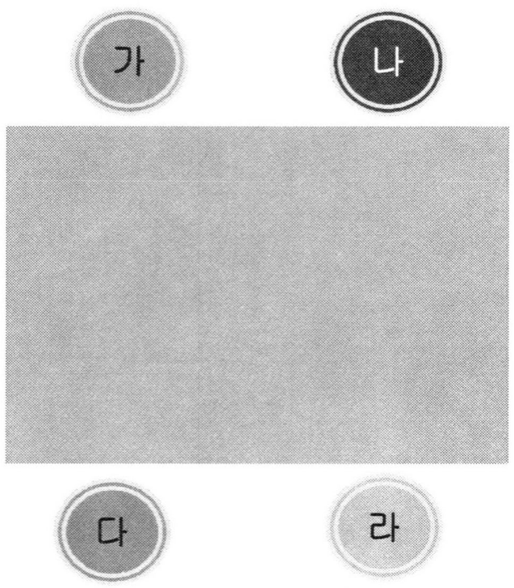

짜장면	짬뽕	탕수육	깐풍기	우동	잡채밥
1500원	2000원	5000원	3000원	3500원	4000원

정답) 14,000원

다음 중 가장 왼쪽부터 첫 번째, 3번째, 5번째 세로줄의 숫자를 가능한 한 빨리 읽어보세요.

2	5	1	4	6	1
3	2	4	7	8	3
4	7	8	9	5	6
5	2	3	1	5	4
1	7	8	9	5	1
2	4	8	4	3	4
7	8	9	4	1	2
1	8	7	6	2	4
3	2	9	4	3	5
6	1	4	5	6	1
3	2	6	2	4	9

인지훈련 프로그램

_____년 _____월 _____일

크리스마스 트리에 여러 가지 채소와 과일의 위치를 정해 두었습니다.
바구니에는 먹음직스러운 채소와 과일이 많이 담겨있습니다. 바구니의 채소, 과일과 트리의 그림자를 적절히 연결한 뒤, 다음 물음에 답하세요.

나무에는 있는데 바구니에 없는 과일, 채소는 무엇인가요?

바구니에 있는데 나무에 없는 과일, 채소는 무엇인가요?

정답) 1) 사과 2) 당근

다음 표는 김삿갓씨가 경주 여행을 위해 세운 여행계획입니다.
다 읽어 보시고 답을 해 보세요.

6/3
9시 – 경주박물관 관람
12시 – 토함산 등산 후, 석굴암 관람
오후 2시 – 포석정에서 열리는 민속공연 관람
오후 4시 – 불국사에 들러 구경
오후 6시 – 숙소로 돌아온 후 "신라 한정식"이라는 식당에서 저녁

위의 내용을 덮고 아래의 빈곳을 채워보세요.

6/3
9시 – (　　　)박물관 관람
12시 – 토함산 등산 후, (　　　) 관람
오후 2시 – (　　　)에서 열리는 민속공연 관람
오후 4시 – (　　　)에 들러 구경
오후 6시 – 숙소로 돌아온 후 "(　　　　　)"이라는 식당에서 저녁

정답) 경주, 석굴암, 포석정, 불국사, 신라 한정식

다음 단어들의 공통점은 무엇일까요?

젓가락	박 수
양 말	쌍둥이
귀	무전기
2	결 혼

정답) 짝이 있다.

수평과 수직선이 번갈아 가면서 이어져 있습니다.
아래에 똑같이 그려보세요.

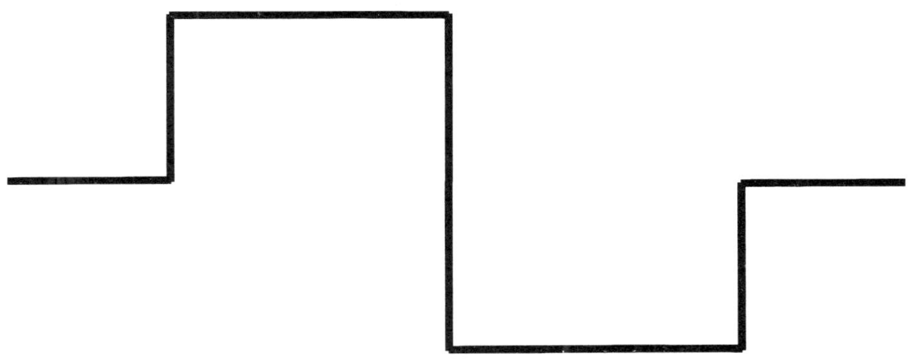

선을 기점으로 나머지 반을 오른쪽에 그려보세요.

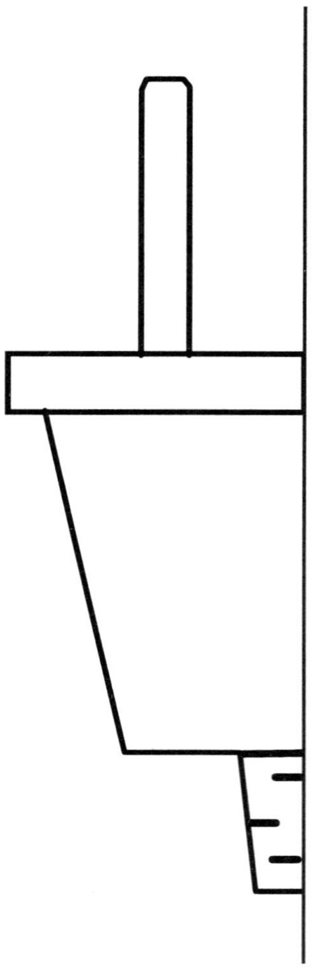

속담 빈칸에 공통적으로 들어가야 할 말은 무엇일까요?

1. (　　)이 씨가 된다.
   발 없는 (　　)이 천리 간다.

2. 가뭄에 (　　)나듯
   (　　) 심은데 (　　)나고 팥 심은데 팥 난다.

3. 그림의 (　　)
   남의 (　　)이 더 커 보인다.

정답) 1. 말　2. 콩　3. 떡

다음 중 가장 왼쪽부터 두 번째, 4번째, 6번째 세로줄의 숫자를 가능한 한 빨리 읽어보세요.

2	5	1	4	6	1
3	2	4	7	8	3
4	7	8	9	5	6
5	2	3	1	5	4
1	7	8	9	5	1
2	4	8	4	3	4
7	8	9	4	1	2
1	8	7	6	2	4
3	2	9	4	3	5
6	1	4	5	6	1
3	2	6	2	4	9

동그라미는 숫자 순서로(1 → 2 → 3..), 네모는 가나다 순서로(가 → 나 → 다..) 연결해 보세요.

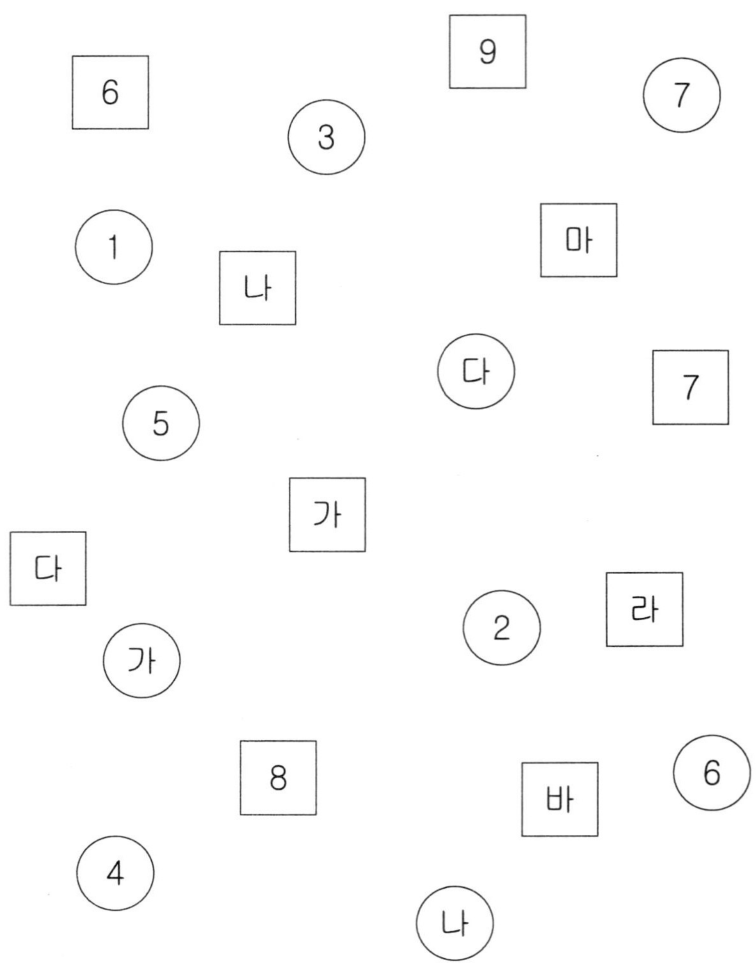

인지훈련 프로그램

_____년 _____월 _____일

다음 메모는 생일잔치를 위해 시장에서 사야 할 목록입니다.
깜박하면 다시 시장을 가야합니다.
다 읽어 보시고 사야할 것들을 기억해 보세요.

야채	**수산물**
시금치, 양파, 양배추	대구, 문어, 우럭
과일	
사과, 감귤, 배	

생일잔치를 위한 시장보기를 잘 기억해 두셨나요?
그럼 다음 빈칸을 한 번 채워봅시다.

야채	**수산물**
(　　　), 양파, (　　　)	대구, (　　　), (　　　)
과일	
(　　　), (　　　), 배	

정답) 시금치, 양배추, 문어, 우럭, 사과, 감귤

다음 단어들의 공통점은 무엇일까요?

편 지	전 화
전 보	이메일
뉴 스	신 문

정답) 소식을 전한다.

점선을 따라 그리면서 꽃을 완성해보세요.

성냥개비를 가지고 아래의 그림과 똑같이 만들어 보세요.
성냥의 머리의 방향도 같아야 합니다.

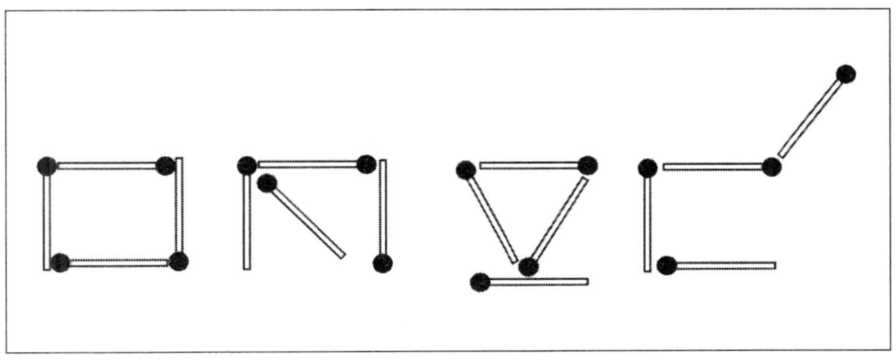

속담 빈칸에 공통적으로 들어가야 할 말은 무엇일까요?

1. (　　) 날이 장날
   (　　) 정이 있어야 오는 정이 있다.
   (　　) 말이 고와야 오는 말이 곱다.

2. (　　) 는 씹어야 맛이고 말은 해야 맛이다.
   (　　) 도 먹어본 놈이 잘 먹는다.
   (　　) 도 자기 놀던 물이 좋다.

3. (　　) 들자 이별
   고운 (　　) 미운 (　　)

정답) 1. 가는　2. 고기　3. 정

다음 중 가장 오른쪽부터 2번째, 4번째, 6번째 세로줄의 숫자를 가능한 한 빨리 읽어보세요.

2	5	1	4	6	1
3	2	4	7	8	3
4	7	8	9	5	6
5	2	3	1	5	4
1	7	8	9	5	1
2	4	8	4	3	4
7	8	9	4	1	2
1	8	7	6	2	4
3	2	9	4	3	5
6	1	4	5	6	1
3	2	6	2	4	9

동그라미의 숫자는 오름차순으로(1→2→3..), 네모는 내림차순으로(10→9→8..) 연결해 보세요.

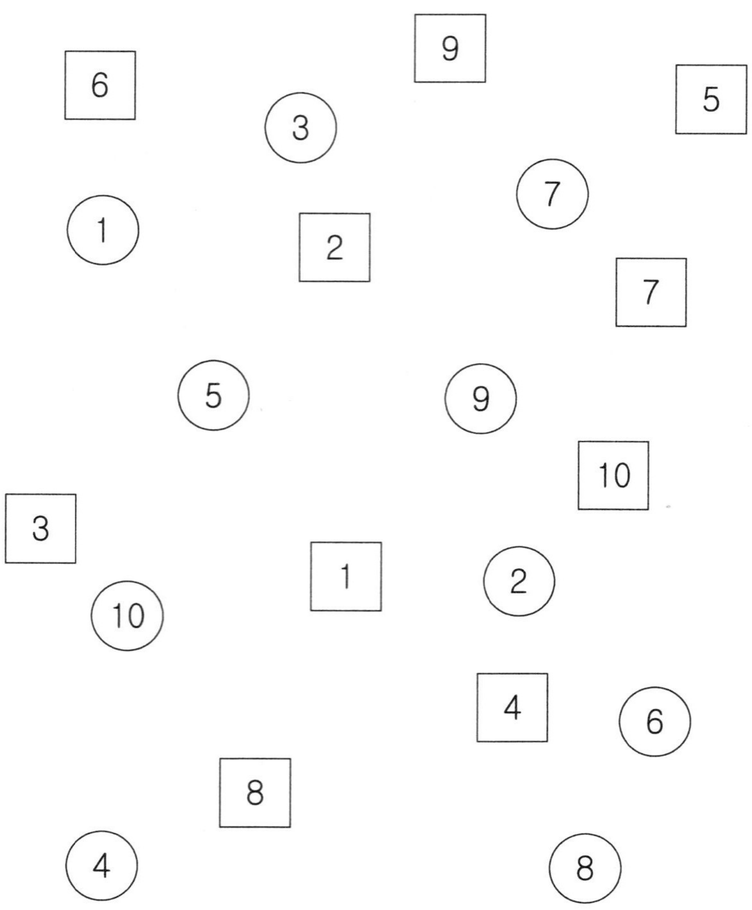

다음은 무엇의 그림자일까요? 한번 맞춰 보세요.

정답) 난초, 고추, 기차, 메기

인지훈련 프로그램

_____년 _____월 _____일

다음은 무엇의 그림자일까요? 한번 맞춰 보세요.

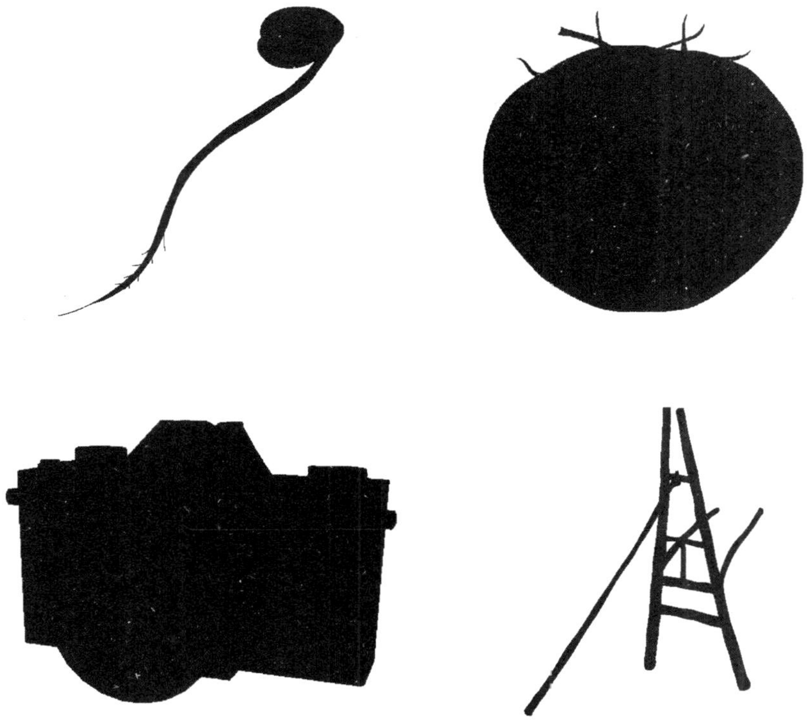

정답) 콩나물, 카메라, 지게, 토마토

동그라미는 짝수 순서로(2 → 4 → 6..), 네모는 홀수 순서로(1 → 3 → 5..) 연결해 보세요.

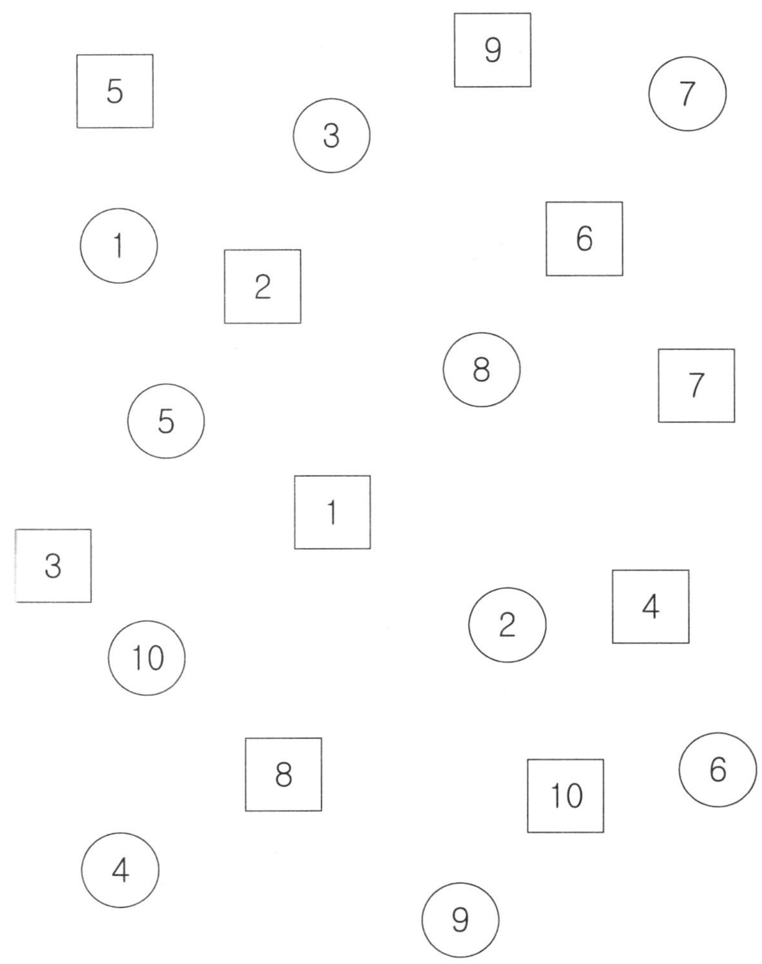

다음 단어들의 공통점은 무엇일까요?

스 키	얼음낚시
눈사람	북 풍
설 날	동 태

정답) 겨울과 연관성이 있다.

현빈이네 부엌입니다. 그림을 잘 보고 기억해 보세요.

자, 이제는 그림이 보이지 않게 잘 가리고, 현빈이네 부엌에 어떤 물건들이 있었는지 생각해 봅시다. 모두 5개 물건이 있었습니다. 모두 기억해 낼 때까지 반복해서 그림을 보고 외워봅시다.

이제는 다음에 나와 있는 물건들 중 현빈이네 부엌에 있었던 물건이 어떤 건지 찾아서 동그라미 쳐 보세요.

정답) 냄비, 컵, 후라이팬

성냥개비를 가지고 아래의 그림과 똑같이 만들어 보세요.
성냥의 머리의 방향도 같아야 합니다.

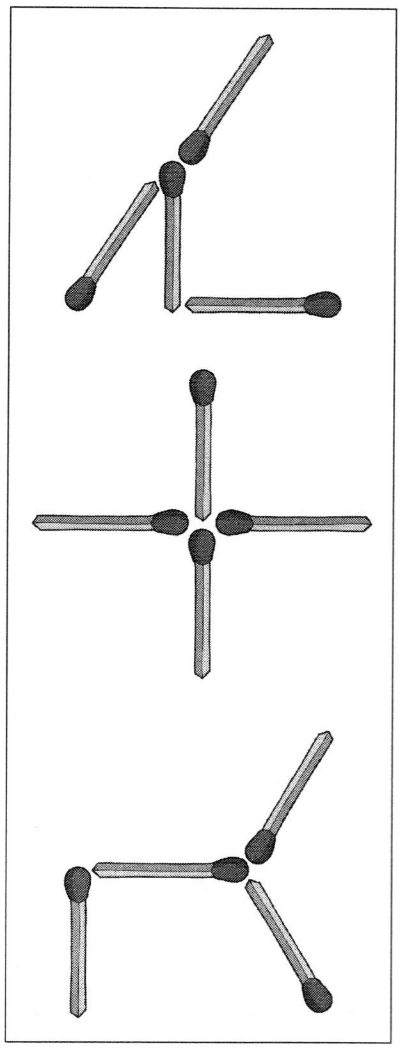

정답) 1번째

점선을 따라 그려보세요.

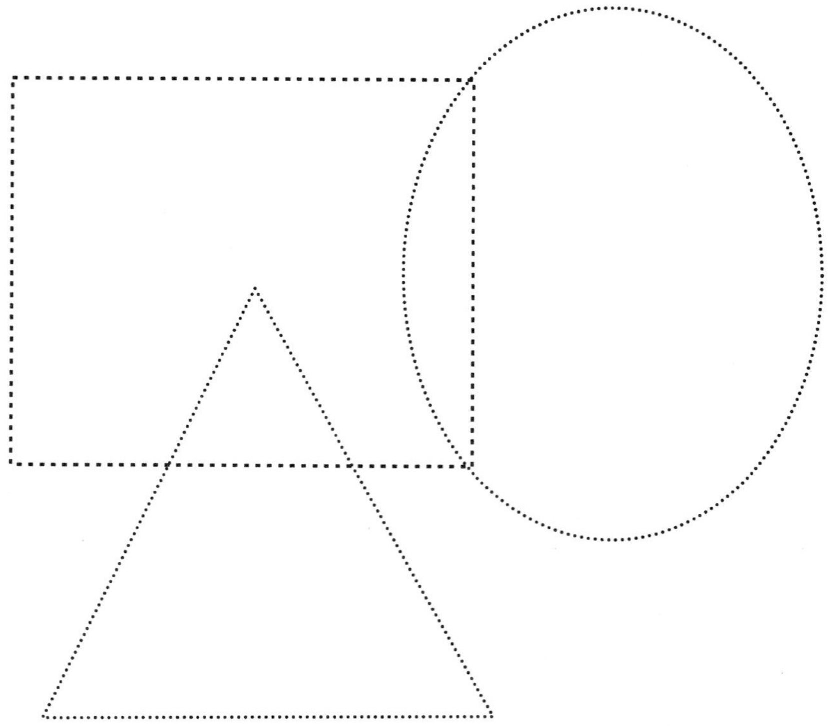

다음 중 가장 오른쪽부터 첫 번째, 3번째, 5번째 세로줄의 숫자를 가능한 한 빨리 읽어보세요.

2	5	1	4	6	1
3	2	4	7	8	3
4	7	8	9	5	6
5	2	3	1	5	4
1	7	8	9	5	1
2	4	8	4	3	4
7	8	9	4	1	2
1	8	7	6	2	4
3	2	9	4	3	5
6	1	4	5	6	1
3	2	6	2	4	9

속담 빈칸에 공통적으로 들어가야 할 말은 무엇일까요?

1. (　　) 손님 막지 말고 가는 손님 잡지마라.
   (　　) 정이 있어야 가는 정이 있다.
   (　　) 말이 고와야 가는 말이 곱다.

2. (　　) 잡은 것은 매다
   (　　) 대신 닭.
   (　　) 먹고 알 먹고

3. (　　) 먹고 잘 입어 못난 놈 없다.
   (　　) 자랄 나무는 떡잎부터 알아본다.
   (　　) 되면 제 탓, 못되면 조상 탓.
   (　　) 되면 충신이요, 못되면 역적이라.

정답) 1. 오는　2. 꿩　3. 잘

인지훈련 프로그램

_______년 _____월 _____일

다음 그림을 잘 보고 빠진 곳을 찾아보세요.

정답) 게: 다리, 시계: 시계바늘

교통기관들 입니다. 그림을 잘 보고 기억해 보세요.

자, 이제는 그림이 보이지 않게 잘 가리고, 어떤 교통기관들이 있었는지 생각해 봅시다. 모두 5개가 있었습니다. 어떤 것들이 있었나요?

하늘을 날아다니는 것은 어떤 것이 있었습니까?

정답) 자전거, 기차, 비행기, 자동차, 헬리콥터 / 비행기, 헬리콥터

다음은 무엇의 그림자일까요? 한번 맞춰 보세요.

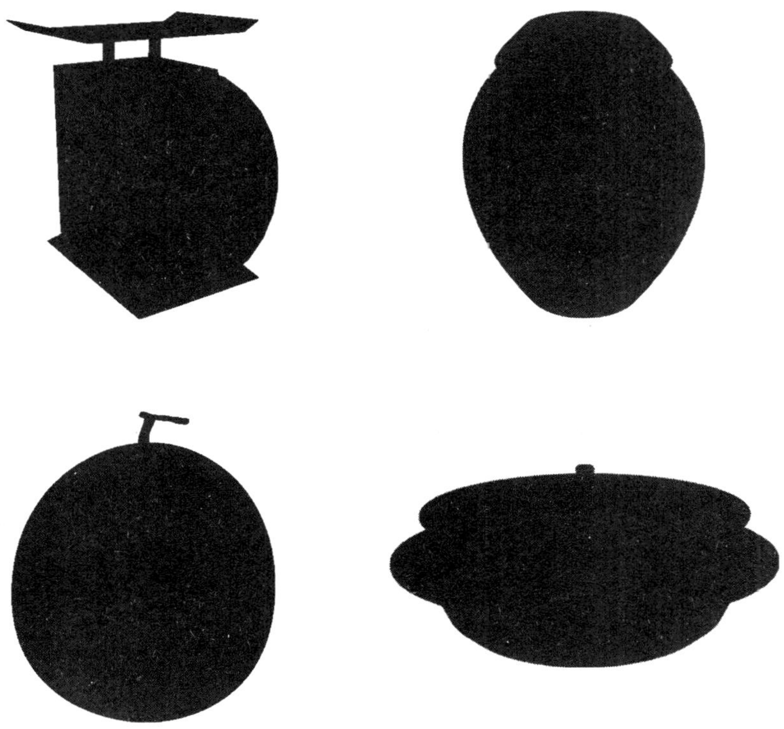

정답) 저울, 장독, 수박, 가마솥

동그라미는 2, 4, 6을, 네모는 가, 나, 다를 연결해 보세요.

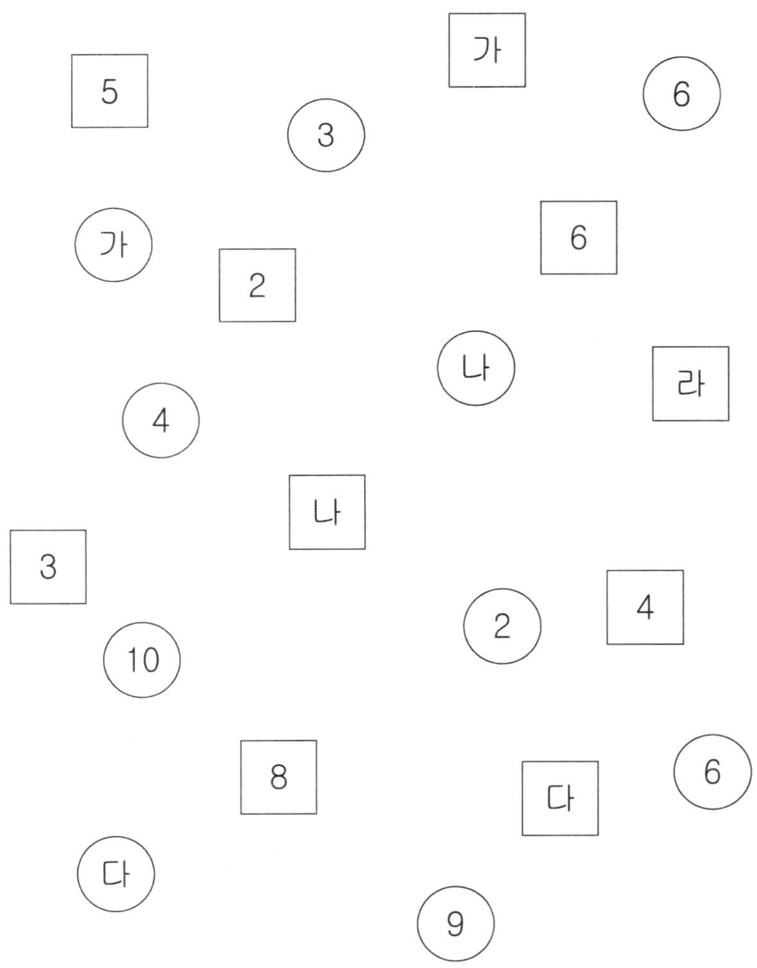

다음 숫자들을 세로방향으로 가능한 한 빨리 읽어보세요.

2	5	1	4	6	1
3	2	4	7	8	3
4	7	8	9	5	6
5	2	3	1	5	4
1	7	8	9	5	1
2	4	8	4	3	4
7	8	9	4	1	2
1	8	7	6	2	4
3	2	9	4	3	5
6	1	4	5	6	1
3	2	6	2	4	9

속담 빈칸에 공통적으로 들어가야 할 말은 무엇일까요?

1. (　　) 속에 뼈가 있다.
   (　　)은 적을수록 좋다.
   (　　)만 잘 하면 천냥 빚도 가린다.
   (　　) 많은 집에 장맛도 쓰다.
   (　　)은 청산유수 같다.

2. (　　) 밖에 난 고기.
   (　　) 샐 틈 없다.
   (　　) 쓰듯 하다.
   (　　)에 빠지면 지푸라기라도 잡는다.
   (　　)에 빠진 놈 건져 놓으니까, 내 봇짐 내라 한다.
   (　　)에 물 탄 듯이, 술에 술 탄 듯이.

3. (　　) 간 데 실 간다.
   (　　) 구멍에 황소 바람 들어온다.
   (　　) 구멍으로 하늘 보기.
   (　　) 도둑이 소도둑 된다.
   (　　) 방석에 앉은 것 같다.

정답) 1. 말　2. 물　3. 바늘

성냥개비를 가지고 아래의 그림과 똑같이 만들어 보세요.
성냥의 머리의 방향도 같아야 합니다.

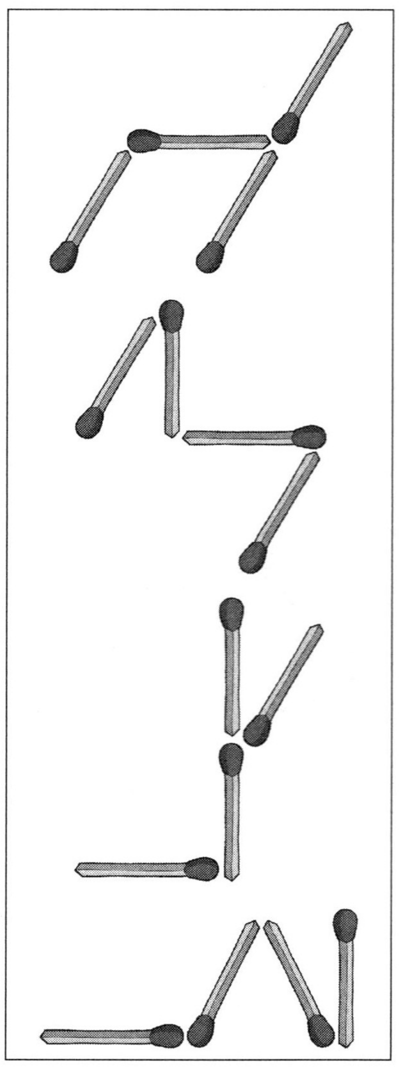

다음 그림을 아래에 똑같이 그려 넣어 보세요.

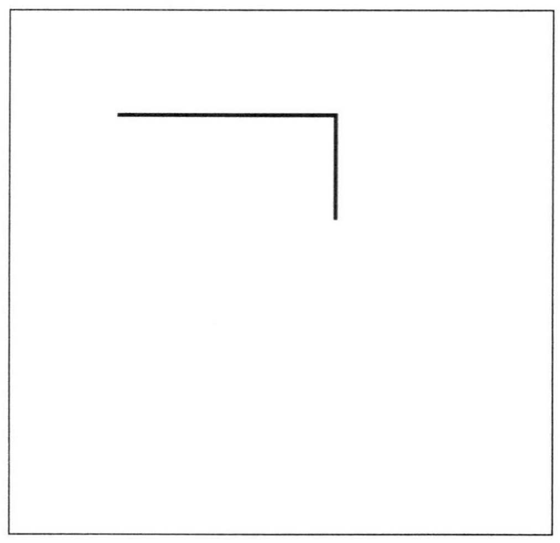

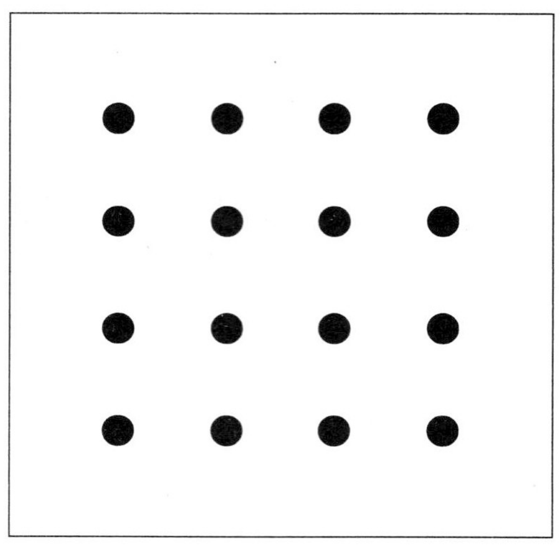

인지훈련 프로그램

________년 ______월 ______일

오늘 시장에서 사온 채소들 입니다. 그림을 잘 보고 기억해 보세요.

자, 이제는 그림이 보이지 않게 잘 가리고, 어떤 물건들이 있었는지 생각해 봅시다. 모두 5가지 8개의 물건이 있었습니다. 모두 기억해 낼 때까지 반복해서 그림을 보고 외워봅시다.

다음에 나와 있는 물건들 중 2개가 있었던 야채는?
3개가 있었던 야채는?

정답) 당근, 오이

다음 그림을 잘 보고 빠진 곳을 찾아보세요.

정답) 자동차: 바퀴, 냄비: 뚜껑 손잡이

1. 첫 글자의 시작이 "ㅇ"으로 시작하는 단어에 ○ 하세요.(예 : ⓨ보세요, ⓨ어사전)
2. 4번째 글자의 모음이 "ㅣ" 인 단어를 X 표 하세요.
   (예 : 비행접시, 산불조심)

전화번호	순식간에	비행접시	영어사전	훈민정음
국어사전	여보세요	산불조심	안전제일	개나리꽃
조선백자	로마시대	아이디어	살그머니	그렇지만
가마타기	자연과학	자기자신	기적소리	아침식사
중도하차	재빠르다	차근차근	한결같이	아스팔트
국무총리	외할머니	구멍가게	아무래도	조심조심

정답) 1. 영어사전, 여보세요, 안전제일, 아이디어, 아침식사, 아스팔트, 외할머니, 아무래도
2. 비행접시, 산불조심, 살그머니, 가마타기, 자기자신, 기적소리, 한결같이, 국무총리, 외할머니, 조심조심

다음은 무엇의 그림자일까요? 한번 맞춰 보세요.

정답) 열쇠와 자물쇠, 주전자, 장승, 탁자

빈칸에 들어가야 할 말은 무엇일까요?

주차(　　)지

교통(　　)드

신용카(　　)

돼지(　　)비

신장개(　　)

중화요(　　)

대중식(　　)

다음 앞뒤 숫자를 더해 5가 되는 경우를 모두 동그라미 하세요.

2	5	1	4	6	7	1
3	2	4	7	8	6	3
4	7	8	9	5	4	6
5	2	3	1	5	3	4
1	7	8	9	5	6	1
2	4	8	4	3	2	4
7	8	9	4	1	6	2
1	8	7	6	2	1	4
3	2	9	4	3	7	5
6	1	4	5	6	9	1
3	2	6	2	4	3	9

정답) 1. 금, 카, 드, 갈, 업, 리, 사

다음 그림을 아래에 똑같이 그려 넣어 보세요.

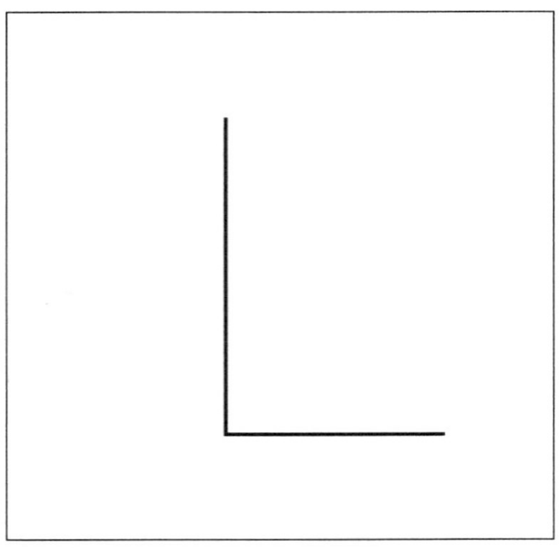

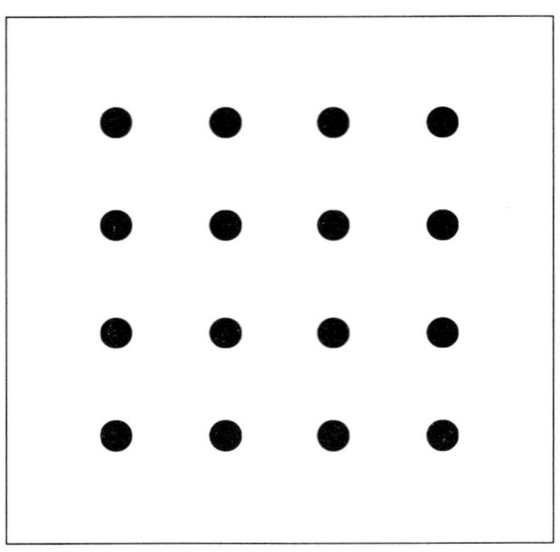

성냥개비를 가지고 아래의 그림과 똑같이 만들어 보세요. 성냥의 머리의 방향도 같아야 합니다.

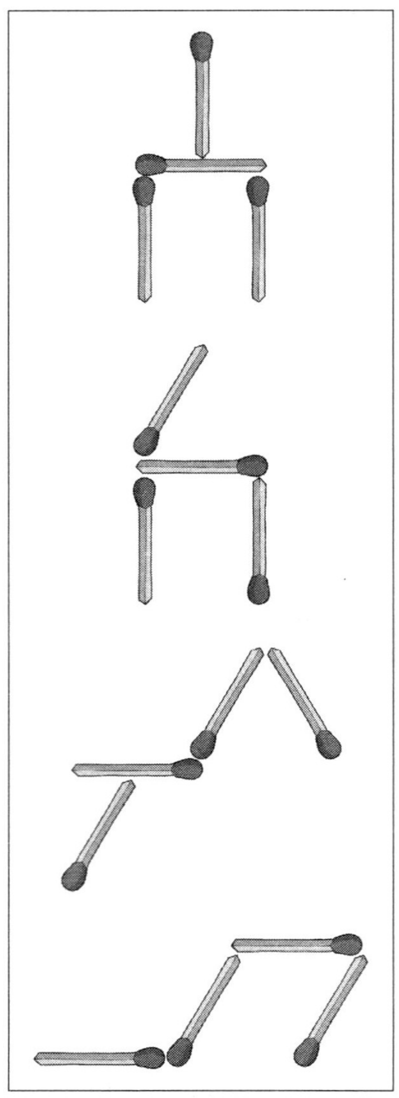

인지훈련 프로그램

_______년 _____월 _____일

1. 첫 글자의 시작이 "ㅇ"으로 시작하는 단어에 ○ 하세요.(예 : ⓐ보세요, ⓢ어사전)
2. 4번째 글자의 모음이 "ㅏ" 인 단어를 X 표 하세요. (예 : 조선백자, 중도하차)

아이디어	순식간에	세종대왕	국어사전	훈민정음
물구나무	정기세일	산불조심	안전제일	개나리꽃
고려청자	로마시대	대한민국	살그머니	이웃사촌
가마타기	행정고시	자아비판	파도소리	아침식사
치맛자락	터줏대감	한결같이	아나운서	횡단보도
국무총리	구멍가게	여기저기	생명과학	알짜배기

정답) 1. 아이디어, 안전제일, 이웃사촌, 아침식사, 아나운서, 여기저기, 알짜배기
2. 고려청자, 자아비판, 아침식사, 치맛자락, 터줏대감, 생명과학, 조심조심

우리 착한 아들 승리가 개근상을 받아왔네요. 두 개의 개근상을 비교해보시고 서로 다른 부분을 찾아 오른쪽 상장에 동그라미 쳐보세요.(답 : 총 9 부분이 다릅니다.)

제1998호	제1999호
개 근 상	개 근 상
김승리	김승리
위 학생은 본교 교육목적에 의한 소정의 교과과정에 1년간 개근하여 타 학생의 귀감이 되었기에 이 상장을 수여합니다.	위 학생은 본교 교육목적에 의한 소정의 교과과정에 1년간 개근하여 다 학생의 귀감 되었기에 이 상장을 수여합니다.
2009년 2 월 11 일	2009년 2 일 11 월
서울시한글학교장	서울한글학교장
김 교장.	김 교장

정답) 상호, 이름, 본교(글자체모양), '의한' 단어 글자 굵기, 다(타) 학생, 귀감(이), 월일 위치 바뀜, 서울시, 김 교장 뒤 마침표

오늘 시장에서 사온 과일들을 식탁과 쟁반위에 두었습니다. 그림을 잘 보고 기억해 보세요.

자, 이제는 그림이 보이지 않게 잘 가리고, 어떤 물건들이 있었는지 생각해 봅시다. 총 5가지 6개의 과일이 있었습니다. 어떤 과일들이 있었습니까?

다음에 나와 있는 물건들 중 2개가 있었던 과일은?
쟁반위에 있었던 과일은?

정답) 배, 사과, 딸기, 포도, 바나나 / 딸기, 바나나

그림을 잘 보고 빠진 곳을 찾아보세요.

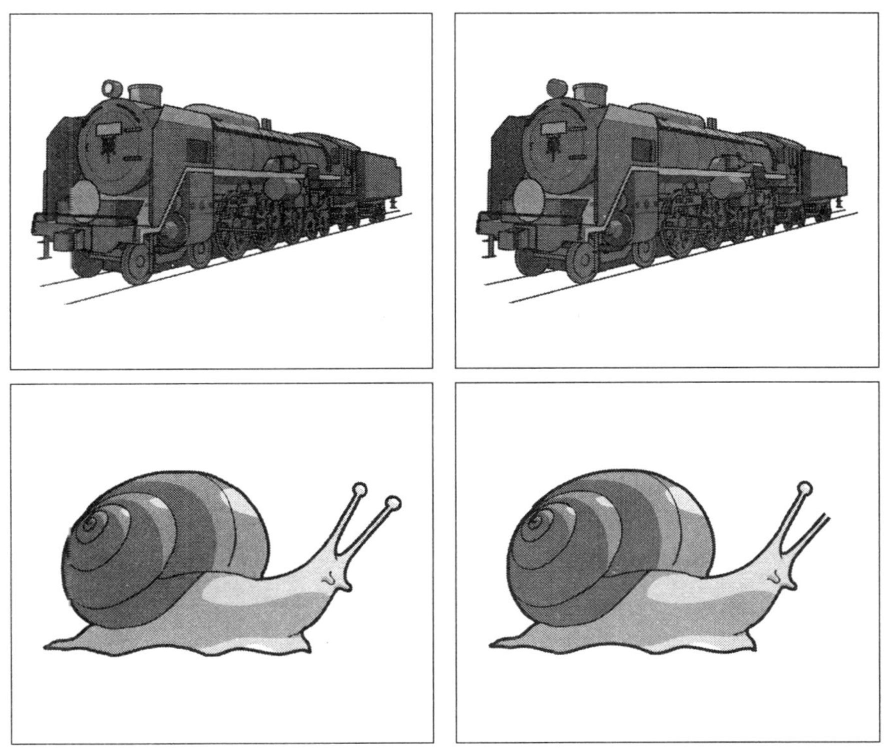

정답) 기차: 헤드라이트, 달팽이: 더듬이

다음 그림을 아래에 똑같이 그려 넣어 보세요.

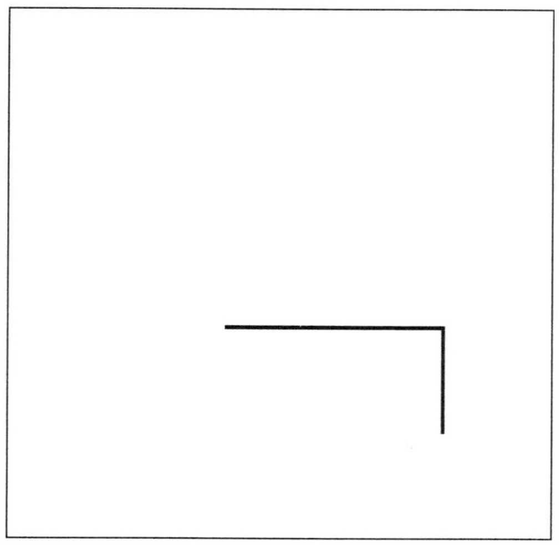

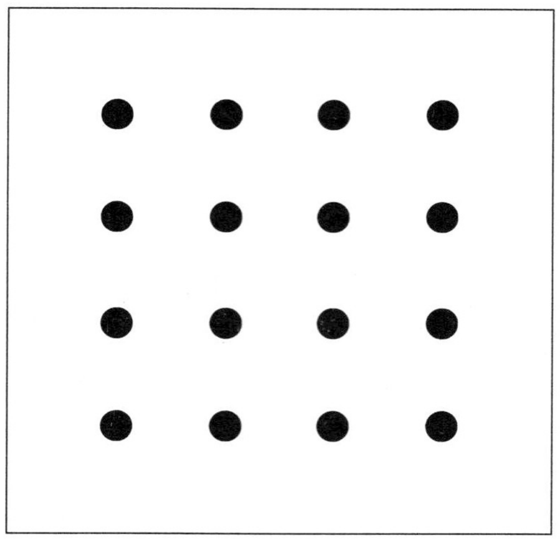

성냥개비를 가지고 아래의 그림과 똑같이 만들어 보세요. 성냥의 머리의 방향도 같아야 합니다.

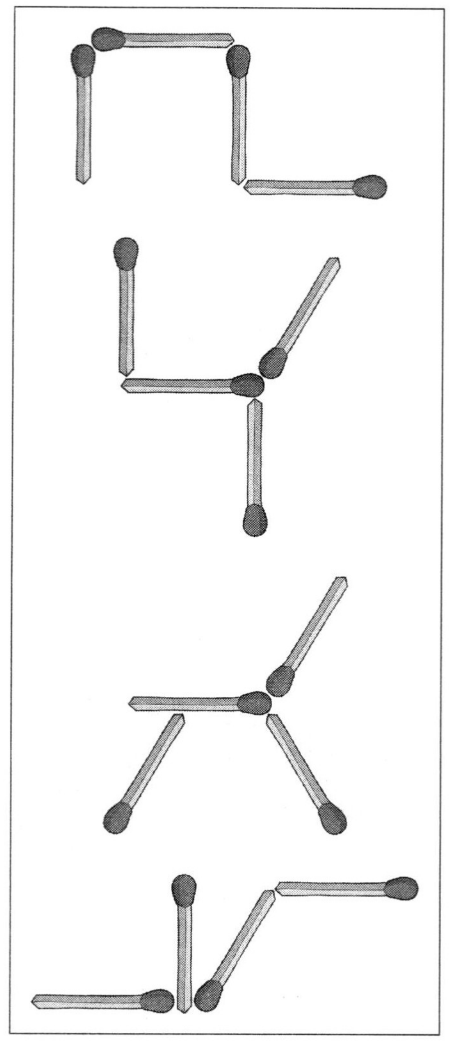

빈칸에 들어가야 할 말은 무엇일까요?

아전인(　　)

청춘(　　)녀

백(　　)민족

접근(　　)지

건강관(　　)

오(　　)도손

고진감(　　)

다음 앞뒤 숫자를 더해 7이 되는 경우를 모두 동그라미 하세요.

2	5	1	4	6	7	1
3	2	4	7	8	6	3
4	7	8	9	5	4	6
5	2	3	1	5	3	4
1	7	8	9	5	6	1
2	4	8	4	3	2	4
7	8	9	4	1	6	2
1	8	7	6	2	1	4
3	2	9	4	3	7	5
6	1	4	5	6	9	1
3	2	6	2	4	3	9

정답) 1. 수, 남, 의, 금, 리, 손, 래

인지훈련 프로그램

_______년 _____월 _____일

왼쪽, 오른쪽 그림을 잘 보고 서로 다른 부분이 있는 곳에 동그라미 표시를 해보세요.

정답) 위쪽 : 팔찌, 창 끝 모양, 양말 위치 / 아래쪽 : 창, 양말, 주머니, 팔찌

건조대에 세탁물이 걸려 있는데, 하나는 땅바닥에 떨어져 있습니다. 그림을 잘 보고 기억해 보세요.

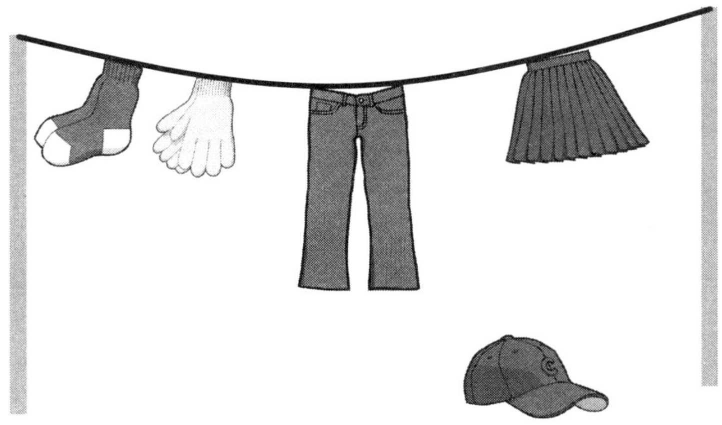

자, 이제는 그림이 보이지 않게 잘 가리고, 어떤 물건들이 있었는지 생각해 봅시다. 모두 5가지가 있었습니다. 어떤 것들이 있었습니까?

떨어져 있었던 것은 무엇이었습니까?

정답) 양말, 장갑, 바지, 치마, 모자 / 모자

일상에서 볼 수 있는 물건들입니다. 하지만 잘 보면 이상한 곳(빠진 곳)이 있습니다. 찾아보세요.

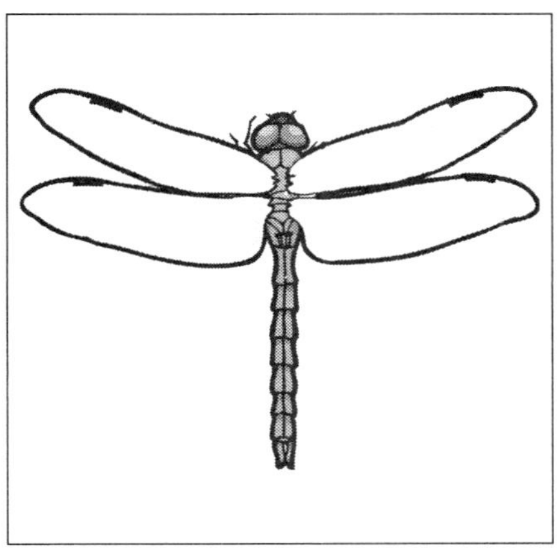

정답) 피아노: 우측 다리, 잠자리: 우측 발

1. 첫 글자의 시작이 "ㅎ"으로 시작하는 단어에 ○ 하세요.(예 : ㉦민정음, ㉻결같이)
2. 4번째 글자의 모음이 " l " 인 단어를 X 표 하세요. (예 : 국무총리, 여기저기)

은행나무	순식간에	흥미진진	국어사전	여러가지
물구나무	정기세일	행정고시	안전사고	개나리꽃
고려청자	로마시대	대한민국	허수아비	이웃사촌
태백산맥	허둥지둥	파도소리	시골밥상	전화번호
치맛자락	터줏대감	배추김치	아나운서	횡단보도
구멍가게	생명과학	하루살이	오두방정	백전백승

정답) 1. 흥미진진, 행정고시, 허수아비, 허둥지둥, 횡단보도, 하루살이
2. 흥미진진, 여러가지, 정기세일, 행정고시, 파도소리, 배추김치, 하루살이, 조심조심

입체도형이 그려져 있습니다. 입체적인 느낌이 잘 표현되도록 그림과 똑같이 그려보세요.

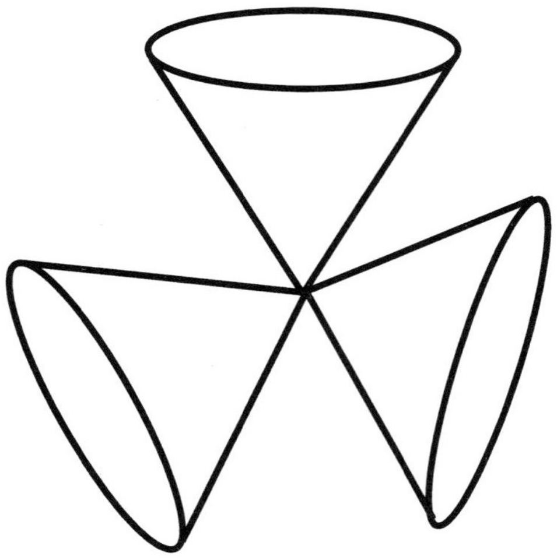

삼각형, 사각형, 오각형 등으로 뒤죽박죽으로 섞여 있는 말을 같은 모양끼리 4개씩 모아 재배열하면 고사성어가 됩니다. 어떤 고사성어가 있는지 맞춰 보세요.

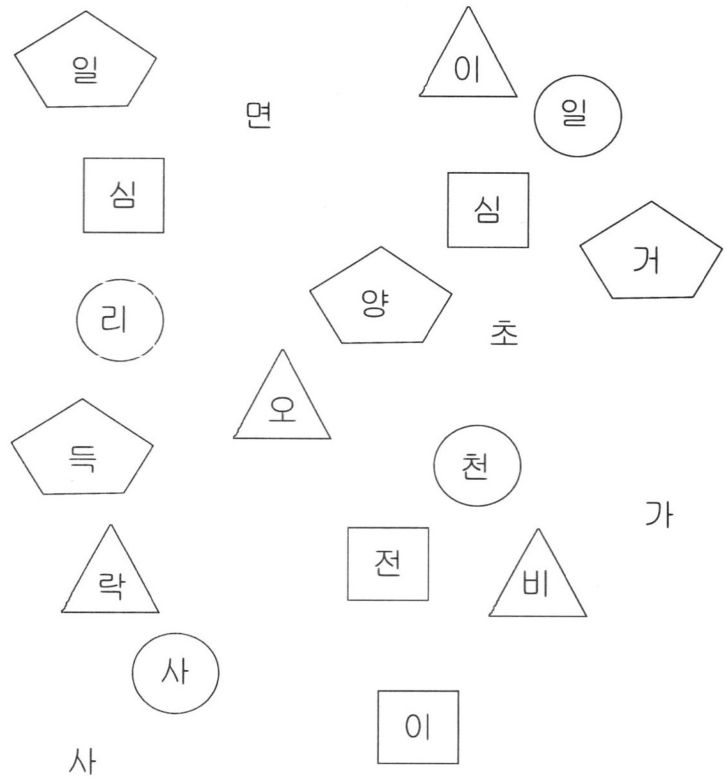

정답) 1. 삼각형 : 오비이락 烏飛梨落 공교롭게도 일이 같이 생겨 남의 의심을 받게 되다.
2. 사각형 : 이심전심 以心傳心 마음에서 마음으로 뜻을 전하는 것.
3. 오각형 : 일거양득 一擧兩得 한 가지의 일로 두 가지의 이익을 보는 것.
4. 동그라미 : 일사천리 一瀉千里 어떤 일을 단번에 처리하는 것.
5. 도형 없는 단어 : 사면초가 四面楚歌 적에게 포위당하여 고립되어 이러지도 저러지도 못하는 상태.

다음 앞뒤 숫자를 더해 10이 되는 경우를 모두 동그라미 하세요.

2	5	1	4	6	7	1
3	2	4	7	8	6	3
4	7	8	9	5	4	6
5	2	3	1	5	3	4
1	7	8	9	5	6	1
2	4	8	4	3	2	4
7	8	9	4	1	6	2
1	8	7	6	2	1	4
3	2	9	4	3	7	5
6	1	4	5	6	9	1
3	2	6	2	4	3	9

누가 그림 위에다 낙서를 해놓았네요. 낙서를 하기 전의 그림은 무엇이었을까요?

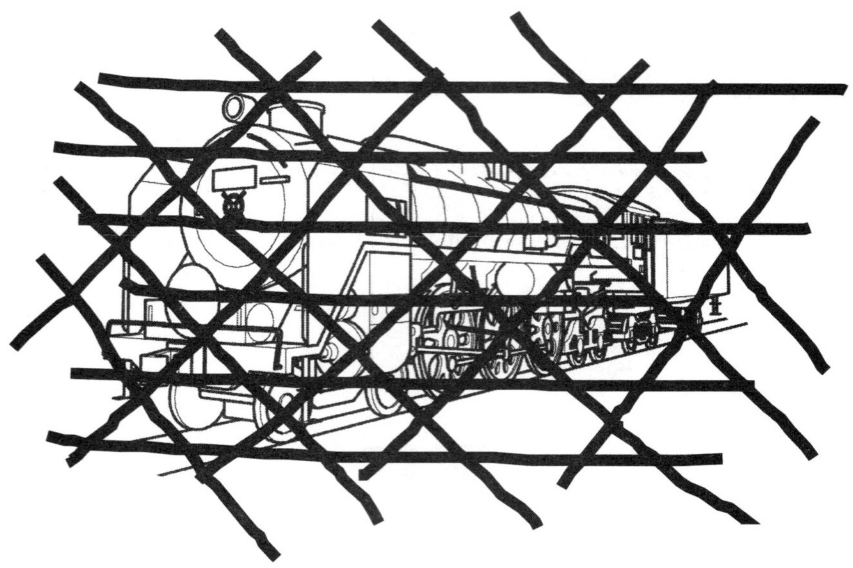

정답) 기차

인지훈련 프로그램

_______년 _____월 _____일

일상에서 볼 수 있는 물건들입니다. 하지만 잘 보면 이상한 곳(빠진 곳)이 있습니다. 찾아보세요.

정답) 손목 시계 : 초침, 시간표시, 자전거 : 우측 페달, 핸들, 뒷 바퀴

원숭이가 친구들을 만나러 가려고 해요. 먼저 토끼집에 도착했어요. 토끼가 원숭이에게 싱싱한 당근을 대접해 주네요. 이번에는 원숭이가 돼지를 만나러 가요. 돼지는 원숭이에게 맛있는 사과를 주네요.

줄을 그으면서 위의 글을 외우시되 사다리타기를 하면서 외워보세요.

1. 이야기에 나온 동물들은 모두 무엇이었나요?
2. 원숭이가 먹은 음식은 무엇이었나요?
3. 이야기 내용을 기억해 보세요.

(　　　)가 친구들을 만나러 가려고 해요. 먼저 (　　　)집에 도착했어요. 토끼가 원숭이에게 싱싱한 (　　　)을 대접해 주네요. 이번에는 원숭이가 (　　　)를 만나러 가요. 돼지는 원숭이에게 맛있는 (　　　)를 주네요.

정답) 1. 원숭이, 토끼, 돼지　　2. 당근, 사과　　3. 원숭이, 토끼, 당근, 돼지, 사과

메뉴판 입니다. 왼쪽 메뉴판과 비교하여 내용이 다른 부분을 오른쪽 메뉴판에 동그라미로 표시해 보세요. 글자 색깔이 다르거나 잘 못 띄워진 부분도 찾아내어 보세요. (4군데)

꽃 다방		
사이다	--	1000
콜 라	--	1000
쥬스 토마토	--	2000
오렌지	--	2000
우 유	--	1500
팥빙수	--	3000
커 피	--	3500

꽃 다방.		
사이다	--	*1000*
콜 라	--	1000
쥬스 토마토	--	2000
오렌지	--	3000
우 유	--	1500
팥빙수	--	3000
커 피	--	3500

정답) 꽃 다방(마침표), 사이다가격 (글자 기울기), 오렌지 가격, 팥빙수 글자체

1. 첫 글자의 시작이 "ㅂ"으로 시작하는 단어에 ○ 하세요.(예 : ⓑ긋방긋)
2. 4번째 글자의 모음이 "ㅗ" 인 단어를 X 표 하세요. (예 : 하하호호̶)

콩닥콩닥	지글지글	방긋방긋	하하호호	가가호호
장수아비	파격세일	긴급처분	호시탐탐	초전박살
조선백자	개똥벌레	엄동설한	생일선물	피장파장
고려인삼	천둥소리	지지배배	도리도리	시골장터
평양감사	오리무중	돼지갈비	배산임수	백년가약
토실토실	중고시장	동래파전	벼룩시장	두루치기

정답) 1. 방긋방긋, 배산임수, 백년가약, 벼룩시장 / 2. 하하호호, 가가호호

다음 앞뒤 숫자를 더해 8이 되는 경우를 모두 동그라미 하세요.

2	5	1	4	6	7	1
3	2	4	7	8	6	3
4	7	8	9	5	4	6
5	2	3	1	5	3	4
1	7	8	9	5	6	1
2	4	8	4	3	2	4
7	8	9	4	1	6	2
1	8	7	6	2	1	4
3	2	9	4	3	7	5
6	1	4	5	6	9	1
3	2	6	2	4	3	9

동그라미, 세모, 네모, 오각형이 뒤죽박죽으로 섞여 있어요. 같은 모양끼리 3개씩 모아 재배열하면 생선의 이름이 됩니다. 어떤 생선들이 있는지 맞춰 보세요.
책장을 덮어놓고 외워보세요.

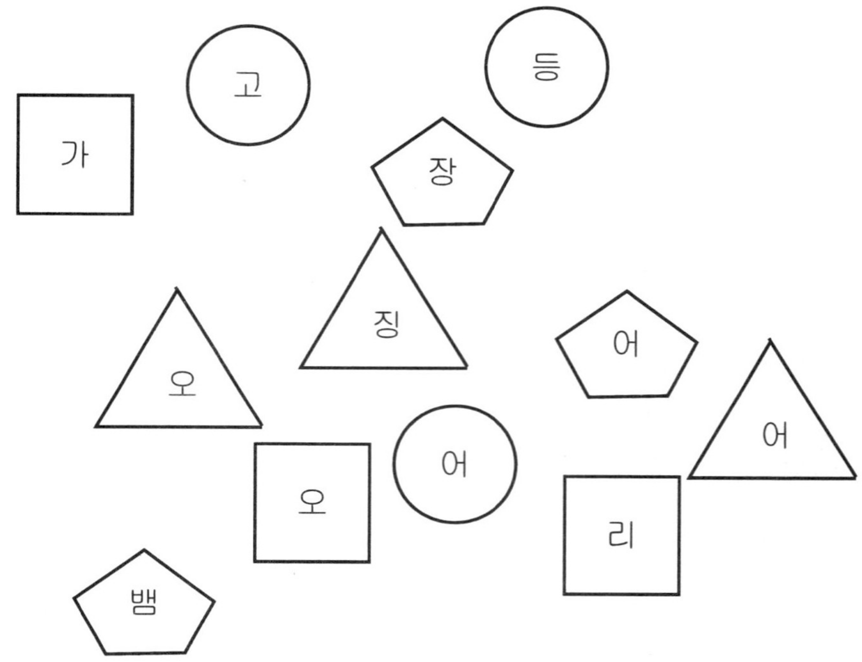

정답) 세모: 오징어 동그라미: 고등어 네모: 가오리 오각형: 뱀장어

입체도형이 그려져 있습니다. 입체적인 느낌이 잘 표현되도록 그림과 똑같이 그려보세요.

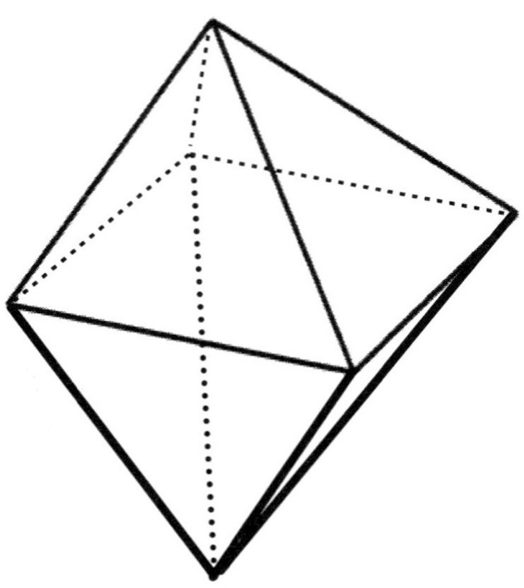

누가 그림위에다 낙서를 해놓았네요. 낙서를 하기 전의 그림은 무엇이었을까요?

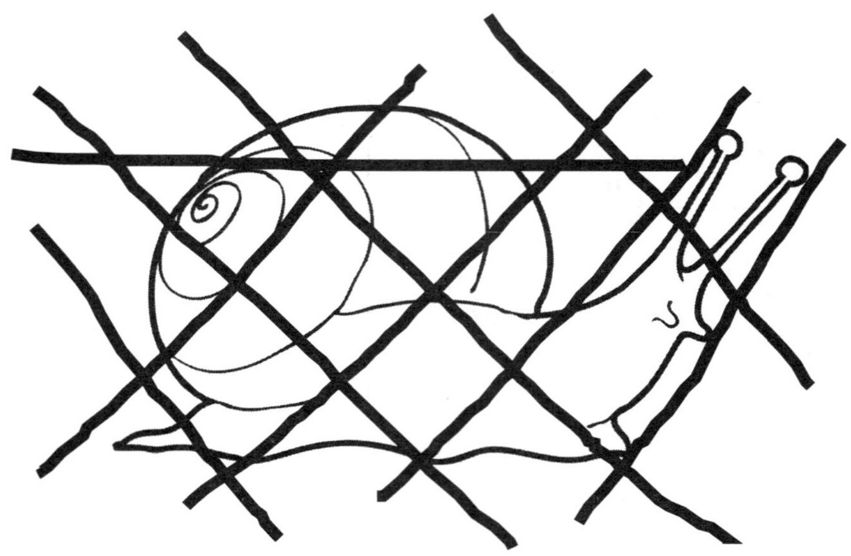

정답) 달팽이

인지훈련 프로그램

_______년 _____월 _____일

그림을 잘 보고 이야기가 되도록 순서대로 나열해 보세요.

1.

2.

3.

4.

정답) 2-1-4-3

2009년 이달의 스케쥴입니다. 두 개의 달력을 비교해 보시고 서로 다른 부분을 찾아 아래의 달력에 동그라미 쳐 보세요. (답 : 총 6 부분이 다릅니다.)

2009 10 October

일	월	화	수	목	금	토
	1	2	3	4	5	6
7 동창회 오전 8시	8	9	10	11	12	13
14	15	16	17	18	19 등산 월출산	20
21	22 세금 납부	23	24	25	26 점심약속 시청 앞 오후 1시 한식당	27
28	29	30	31			

2009 10 October

일	월	화	수	목	금	토
	1	2	3	4	5	6
7 동창회 오후 8시	8	9	10	11	12 민영 생일	13
14	15	16	17	18	19 월출산 등산	20
21	22 세금 납부	23	24	25	26 점심약속 시청 앞 오후 1시 한정식집	27
28	29	30	31			

정답) 10월 7일 동창회 시간 - 오후 8시　10월 12일 민영이 생일　10월 19일 월출산 등산 (글자배열)
10월 22일 세금납부 체크 색깔　10월 26일 점심약속 별표, 한식집 → 한정식집

호동씨는 울릉도에서 택배 배달을 합니다. 배를 타고 인근의 섬 주민들에게 물건을 전달하는데, 오늘은 육지에서 온 신선한 오이, 가지, 배추, 당근을 차례로 인근 섬 주민들에게 배달을 하고 있네요. 배에서 경찰서까지 연필로 줄을 그으면서 사다리 타기를 해보세요.

줄을 그으면서 위의 글을 외우시되 사다리타기를 하면서 외워보세요.

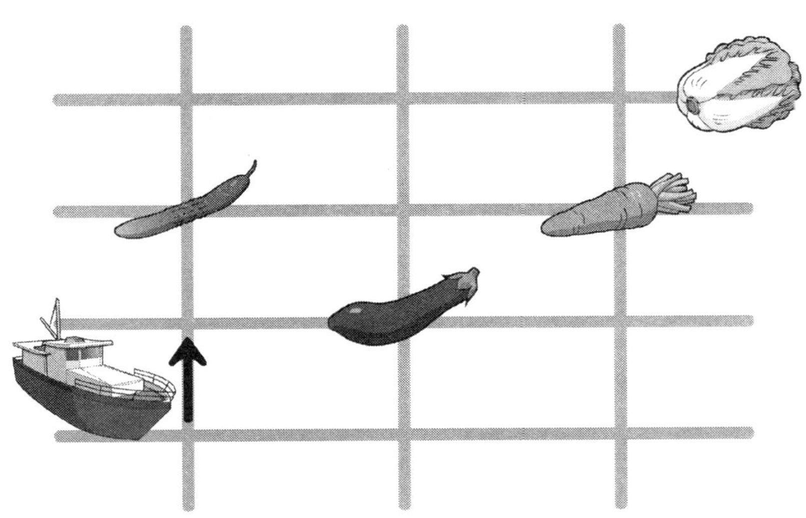

1. 호동씨가 배달한 물건은 어떤 것들 인가요?

2. 맨 처음 배달한 물건과 마지막으로 배달한 물건은?

정답) 1. 오이, 가지, 당근, 배추 / 2. 오이, 배추

1. 첫 글자의 시작이 "ㅊ"으로 시작하는 단어에 ○ 하세요.(예 : ⓒ총각김치)
2. 첫 번째 글자의 모음이 "ㅗ" 인 단어를 X 표 하세요. (예 : 총각김치)

총각김치	된장찌게	정기적금	사라싸움	무전여행
가을추수	긴급호출	떨이처분	천고마비	고래사냥
전주이씨	임진왜란	시시각각	천산유수	다이어트
원목가구	생활용품	건강식품	암행어사	천신만고
장원급제	삐뚤삐뚤	갈팡질팡	철두철미	백년회로
짚불놀이	강강술래	폭풍경보	가스배출	화재조심

정답) 1. 총각김치, 천고마비, 천산유수, 천신만고, 철두철미
2. 총각김치, 된장찌개, 고래사냥, 폭풍경보

입체도형이 그려져 있습니다. 입체적인 느낌이 잘 표현되도록 그림과 똑같이 그려보세요.

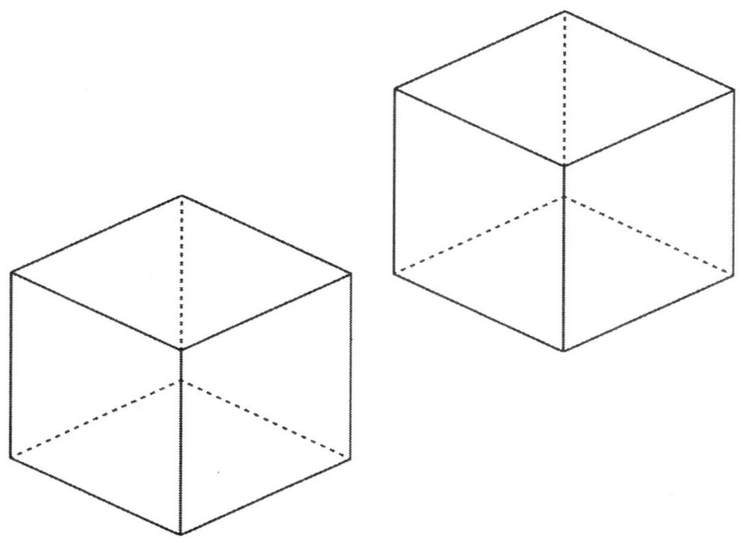

그림 위에 구멍이 뚫려 있습니다. 그림은 무엇이었을까요?

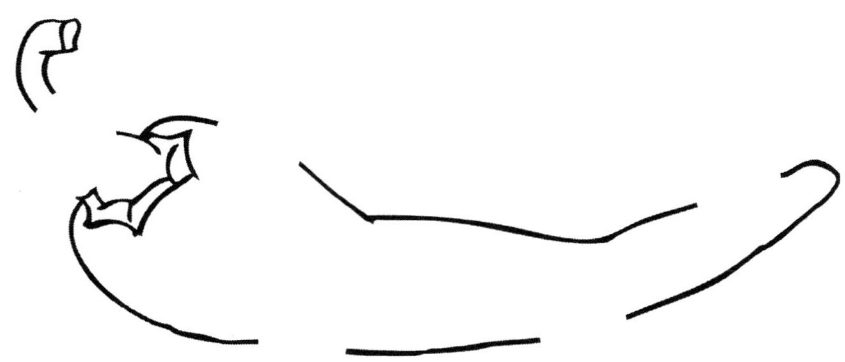

정답) 고추

다음 앞뒤 숫자를 더해 15가 되는 경우를 모두 동그라미 하세요.

2	5	1	9	6	7	1
3	2	4	7	8	6	3
4	7	8	9	5	4	6
5	2	3	1	5	3	4
1	7	8	9	5	6	1
2	4	8	4	3	2	4
7	8	9	4	1	6	2
1	8	7	6	2	1	4
3	2	9	4	3	7	5
6	1	4	5	6	9	1
3	2	6	2	4	3	9

여러 글씨체의 글자가 뒤죽박죽으로 섞여 있어요. 같은 글씨체를 3개씩 모아 재배열하면 음식의 이름이 됩니다. 어떤 음식이 있는지 맞춰 보세요.

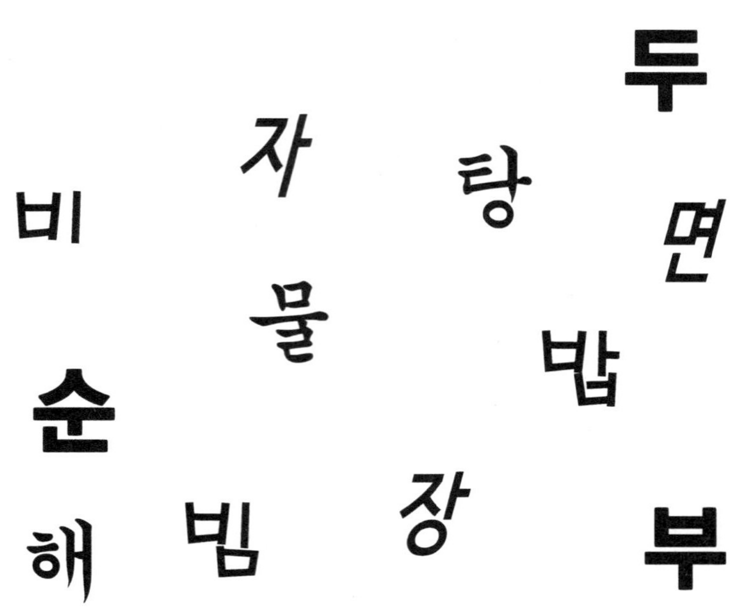

정답) 비빔밥, 해물탕, 순두부, 자장면

WILLIS COGNITIVE SCIENCE CENTER
윌리스 인지과학연구소
Brain Health

부산광역시 남구 수영로 172번길 13(대연동) 전 화 : 051-636-7570
홈페이지 : www.brainhealth.co.kr 이메일 : willis_brain@naver.com

인지훈련 프로그램

series no. 1. ART-BRAIN(정물)
series no. 2. ART-BRAIN(명화)
series no. 3. 일기장
series no. 4. 인지카드
series no. 5. 인지학습지
series no. 6. BRAIN HEALTH(전산화인지훈련)

값 10,000원
94800
9 788988 583395
ISBN 978-89-88583-39-5
ISBN 978-89-88583-36-4 (세트)